ROSIE EN SKATE

Beth Ann Bauman

ROSIE EN SKATE

Uit het Engels vertaald door Marcella Houweling

Van Goor

Met veel liefde voor mijn moeder, Irene Bauman,
die haar moeder op jonge leeftijd heeft verloren

ISBN 978 90 475 1536 4
NUR 285
© 2011 Van Goor
Uitgeverij Unieboek | Het Spectrum bv, postbus 97, 3990 DB Houten

oorspronkelijke titel *Rosie and Skate*
oorspronkelijke uitgave © 2009 Random House Children's Books, New York

www.van-goor.nl
www.unieboekspectrum.nl

tekst Beth Ann Bauman
vertaling Marcella Houweling
omslagontwerp Anton Feddema
zetwerk binnenwerk Mat-Zet bv, Soest

Rosie

Mijn vader is een aardige alcoholist. Die bestaan. Ik weet dat het raar klinkt, maar echt waar, hij is een goed mens. Mijn zus, Skate, denkt daar anders over, maar ik wil dat je mijn kant van het verhaal ook hoort.

Voordat papa drie weken geleden de gevangenis in ging, was een van zijn lievelingsplekjes de oude, versleten bank in de serre. Hij lag daar dan met een dromerige glimlach op zijn gezicht in zichzelf te murmelen, zijn voeten onder het zand en zijn fles Old Crow-whisky tegen zich aan gedrukt. (En omdat hij altijd Old Crow-whisky drinkt, noemt Skate hem 'de Ouwe Kraai'.) Als hij dan zag dat ik bij hem stond en naar hem keek, zwaaide hij eventjes, waarbij hij met zijn vingers wiebelde. 'Fijn je weer te zien, Rosie-girl.' En soms keek hij naar me en zag me helemaal niet, maar dan glimlachte hij toch. Snap je wat ik bedoel? Hij is gestoord, maar wel aardig.

Dat geldt natuurlijk niet voor alle alco's. Dat heb ik de afgelopen drie weken in de praatgroep geleerd: dat sommige alco's gemene trekjes hebben. De vader van de jongen die in de groep tegenover me zit, heeft wel eens een woede-uitbarsting gehad en hem toen een gebroken neus bezorgd. En sommige alco's zijn huilebalken: ik hoorde van het meisje met die neusring dat haar moeder in een smerige badjas door het huis sloft terwijl ze over het verleden jammert. En sommige zijn hopeloos, zoals die vader die uit de afkickkliniek terugkwam en de dag daarop al weer begon met drinken. Volgens Skate is mijn vader ook hopeloos – hoe aardig ik hem ook vind. Na de laatste keer dat hij zes weken in een afkickkliniek had gezeten, nam hij op de middag dat hij thuiskwam meteen alweer een borrel. En sommige alco's zijn stiekemerds: die gaan naar hun werk, betalen de hypotheek en de gasrekeningen, maken spaghetti met gehaktballetjes, maar ze zijn voortdurend beneveld en verstoppen hun flessen in de spoelbak van de wc, de wasmand of de schoorsteenmantel.

Skate heeft een gruwelijke hekel aan mijn praatgroep. 'Watjesklets', noemt ze hem. 'Alsjeblieft, bewaar me,' zegt ze. 'Al dat geouwehoer en gesnotter.' Daarom is ze hier nu ook nog niet. Ik ben bang dat ze niet komt. Maar ik ga gewoon. Ik ben aanwezig in het souterrain van de kerk op het eiland, zit op een klapstoel en eet koekjes van Gus uit een schoenendoos die aan de binnenkant met alufolie is bekleed. Skechers, maat 46½. Gus zit op de universiteit en leidt de bijeenkomsten. Hij bakt boterkoekjes in de vorm van manen en sterren. De steekvormpjes heeft hij van zijn moeder gekregen, heeft hij me verteld. De koekjes hebben allemaal afgebrokkelde randen maar ze zijn bros en zoet, en uiteindelijk zitten we allemaal onder de kruimels. Ik kom hier dus iedere week om koekjes te eten en kruimels te verzamelen en te luisteren naar andere kinderen die een of meer alco's als ouders hebben.

Gus sleept een stoel naar de kring en opent de bijeenkomst. Maar het lukt me nauwelijks om mijn aandacht te houden bij wat hij zegt. Ik neem slokjes van mijn cherrycola terwijl ik naar de deur staar alsof ik die met mijn wilskracht kan laten openzwaaien en mijn zusje kan laten binnenstormen – met haar lange, woeste haren en haar skateboard onder haar arm. Ze is altijd te laat, áls ze al komt. Ze vindt papa een enorme loser.

'Mijn vader laat zich aan de baai vollopen met wodka,' zegt Nick. 'Hij drinkt het uit een theekopje. Alsof hij een doodnormale, toffe vent is.' Nick is een stille jongen die bij mij op school zit. Hij is lang en een beetje sloom en zijn haar valt voor zijn gezicht. 'Die ouwe zak zit daar wodka te zuipen en komt af en toe overeind om zijn kopje bij te vullen uit de fles die hij tussen de lisdodden heeft verstopt. Hij drinkt tot hij out gaat. Dan valt hij gewoon omver in het zand. Het gebeurt iedere avond tussen negen uur en halftien, je kunt er de klok op gelijkzetten.' Nick kijkt voorzichtig en met een enigszins gefronst voorhoofd om zich heen en haakt een sliert haar achter zijn oren. Hij heeft de schattigste roze oortjes die ik ooit heb gezien. 'Dus dan gaan we daarnaartoe. Mijn broers pakken zijn armen en mijn zus en ik ieder een been, en dan hijsen we hem in de kruiwagen en rijden hem naar huis.'

'Waarom doen jullie dat?' vraagt Gus.

'Waaróm?' zegt Nick verbaasd.

'Ja, waarom?' zegt Gus rustig. Niets kan Gus ooit van de wijs brengen. Hij heeft een vriendelijke, droevige glimlach, alsof hij ervan uitgaat dat alles totaal verrot is, ook al zou hij liever willen dat het niet zo was. Gus ziet eruit als een worstelaar – gedrongen maar een en al spieren – en hij heeft stekeltjeshaar, waar hij zijn hand overheen haalt als hij diep nadenkt.

'Maar we kunnen hem daar niet laten liggen!' flapt Nick eruit. Zijn oortjes worden nog dieper roze.

'Waarom niet?' zegt Gus.

En terwijl ik luister en niet naar de deur staar, gaat die open. En daar is Skate, met haar board. Ze glimlacht even naar de groep en ploft neer op de stoel naast me. 'Hai, Ro,' fluistert ze en ze pakt een koekje. Ze draagt een Levi's-spijkerbroek met scheuren, visnetkousen, Keds, en een verbleekt zwart T-shirt versierd met een piepklein aardbeitje. Op haar lange haar liggen druppels water.

'Waar was je nou?' fluister ik terug en ik pak ook een koekje.

'Even voor de duidelijkheid,' zegt Nick. 'Vind je nou dat we hem daar moeten laten liggen? In het zand? Strontlazerus? En dat alle buren het kunnen zien?'

'Ja,' zegt Gus.

Nick staart hem aan. 'Ben je niet goed snik?'

Gus glimlacht. 'Zo nu en dan. Maar toch, waarom laten jullie hem daar niet liggen?'

'Omdat ik me doodschaam, nou goed!' Sommigen in de groep knikken, zijn het met hem eens.

'Maar het is je vaders probleem, niet het jouwe,' zegt Gus.

'Maar hij is mijn váder, en ik wil verdomme niet dat de hele buurt ziet dat hij strontlazerus op het strand ligt.'

'Het zit er dik in dat ze zien dat jullie hem in de kruiwagen hijsen.'

'Maar misschien ook niet,' mompelt Nick. 'Misschien ook niet.'

'Als het bijna iedere avond gebeurt, weten ze dat onderhand vast wel,' zegt Gus.

Arme Nick. Als ik in zijn schoenen zou staan, zou ik mijn vader waarschijnlijk ook in een kruiwagen hebben gehesen. Ik glimlach naar hem, maar hij staart naar de grond en zijn sliertige haar valt voor zijn gezicht.

Papa heeft zich nooit in de tuin of op het strand of zoiets bewusteloos gezopen. Maar dan nog, door het drinken heeft hij zichzelf nu wel heel erg in de nesten gewerkt. Hij is in zijn regenjas en op zijn slippers naar de drogist gegaan, schuifelde langs de schappen en stopte allerlei idiote spullen in de voering van zijn jas: een blikopener, zonnebrandspray met kokosnootolie, een nagelknipper, een panty, potpourri. Daarna ging hij in de rij voor de kassa staan en toen de caissière een rolletje kwartjes tegen de zijkant van de kassa sloeg om het open te breken, griste hij een stapeltje twintigdollarbiljetten uit de la. 'Dank je, schat,' zei hij. Er werkte die dag geen bewaker in de drogisterij en toen de politie hem te pakken kreeg, zat hij een straat verderop op de stoeprand. Hij had zijn teennagels geknipt en was net bezig om zijn gezicht in te smeren met zonnebrandspray. 'Ik verbrand vreselijk in de zon,' zei hij tegen de politieagent. 'Je kunt een eitje op mijn voorhoofd bakken. Jij ook wat?' zei hij terwijl hij de agent met kokosnootolie bespoot.

Het was niet de eerste keer dat hij winkeldiefstal pleegde en het was niet de eerste keer dat hij in de problemen kwam. Om een lang verhaal kort te maken, hij moet drieënhalve maand brommen.

'Hier gaat het om,' zegt Gus terwijl hij opstaat. 'Het heeft geen zin om je ongerust te maken over wat andere mensen denken en je kunt andermans problemen niet oplossen. Het enige wat je kunt doen, is voor jezelf zorgen.' Gus loopt naar het schoolbord en schrijft met grote letters het woord BANG op. 'Je vader heeft zich aan de baai bewusteloos gezopen en je bent bang. Bang voor wat de buren zullen denken, bang voor wat er met hem zal gebeuren. Maar bang zijn biedt jou ook een kans, namelijk…' – en hij wijst de letters stuk voor stuk aan – 'Bekijk Alles Nuchter en Genees.'

'Bekijk Alles Nuchter,' zegt hij terwijl hij naar de B, de A en de N wijst. 'Bekijk de feiten nuchter: je vader is dronken en ligt bewusteloos in het zand. Feit: jij bent niet in staat om hem te laten ophouden met drinken, zelfs al zeul je hem in een kruiwagen naar huis. Feit: misschien belet je hem zelfs wel om beter te worden, om te genezen, omdat je hem de kans ontneemt om wakker te worden met oren vol zand terwijl de buren hem door hun ramen aangapen. Je beschermt hem tegen gevoelens van schuld, domheid of schaamte.'

We kijken Gus allemaal aan alsof hij van lotje getikt is.

'Moeten we dan níéts doen?' vraagt het meisje met de neusring. 'Echt helemaal niets?'

'Inderdaad. Omdat je de situatie er niet beter op maakt. Je probeert die toe te dekken, en toedekken zorgt er alleen maar voor dat je vader ziek blijft.'

Maar als je niets doet, dan verandert er niets, wil ik zeggen. De woorden liggen op het puntje van mijn tong, maar ze willen niet uit mijn mond komen.

'Of je kunt vóélen dat je bang bent,' zegt Gus. Hij wijst naar de letters. 'Of je Bekijkt Alles Nuchter en Geneest.'

'Of,' zegt Skate terwijl ze naar de letters wijst, 'Barst Allemaal maar en Nu Gauw… maken dat je wegkomt.'

Iedereen in de ruimte lacht, zelfs Gus en Nick.

'Dat kun je natuurlijk ook doen,' zegt Gus. 'Maar helpt dat? Denk erover na. Waar ben jij bang voor, Skate?'

'Eerlijk gezegd heb ik geen problemen met bang zijn,' zegt ze, waarbij ze enigszins verveeld naar Gus glimlacht. 'Ik heb wel wat anders aan mijn hoofd.'

We wachten tot ze nog meer zal zeggen, maar dat doet ze niet.

Wat dan, Skate? wil ik in haar oor fluisteren.

'O, o, o,' zegt Skate wanneer de bijeenkomst is afgelopen. Ze houdt de deur voor me open zodat ik met mijn fiets naar buiten kan lopen. 'Watjesklets is echt mega-irritant.'

'Vind je Gus dan niet aardig?' vraag ik.

'Hij is wel oké, maar ik wou dat hij iets aan die puisten deed.' Ook al regent het niet meer, er hangen nog steeds donkere wolken in de lucht. 'Ik heb wat geld,' zegt ze. 'Laten we poffertjes gaan eten.'

Ik loop met mijn fiets aan de hand door de plassen en Skate rijdt langzaam op haar board. Samen zijn we onderweg naar CarolAnne's aan Pelican Drive. Dat is een klein eettentje met een felverlichte sint-jakobsschelp op het dak. Een zeemeermin met lang haar gluurt boven de schelp uit; ze doet me een klein beetje aan Skate denken. We lopen naar binnen en we zijn de enigen, behalve Jeannie Dinges, de serveerster, die we van school kennen. Ze draagt haar sluike, lichtblonde haar strak naar achteren gekamd in een paardenstaart. Ze zit patat te eten en met haar neus in een leerboek Spaans.

We bestellen een bord poffertjes met stukjes chocola en slagroom, en twee glazen water.

'Zo, hallo, vreemdeling,' zegt Skate, terwijl ze haar kin met haar handen ondersteunt en me aanstaart. Skate en papa hebben allebei stralend blauwe ogen – ogen in de kleur van een palmenstrandzee – zo blauw dat je bijna verwacht dat je er tropische vissen in zult zien zwemmen. Maar ik heb donkerblauwe ogen – net als mijn moeder had, heeft papa vaak tegen me gezegd – ogen in de kleur van de oceaan op een bewolkte dag. Skate en ik hebben onze moeder niet gekend; ze is overleden toen we nog heel erg klein waren.

'Jij ook hallo, vreemdeling,' zeg ik. Skate woont bij Julia, de moeder van haar vriendje Perry. Perry is deze herfst op Rutgers Universiteit in New Brunswick gaan studeren. Maar zelfs nog voordat papa naar de gevangenis ging, bracht Skate het grootste deel van haar tijd bij Perry en zijn moeder door. Ik zie Skate voornamelijk op Heights – Ocean Heights, onze middelbare school – waar zij in de derde klas zit en ik in de tweede.

'Hoe is het thuis? Hoe is het met hoe-heet-ze?' vraagt Skate.

'Angie. Ze is aardig. Kom eens een keer langs.' Onze nicht Angie is vanuit Florida bij ons – nou ja, bij mij – ingetrokken toen papa naar de gevangenis moest. We hadden haar voor het laatst gezien toen we nog heel klein waren. Angies vader – onze oom Oscar – is degene die op het moment voor al onze rekeningen opdraait.

Jeannie brengt onze poffertjes en zegt met een gemaakt-vriendelijke stem: 'Eet smakelijk', en op dat moment weet ik dat zij het weet. Of misschien verbeeld ik het me alleen maar. Skate zegt dat de mensen in Little Mermaid geniepig zijn. Ik glimlach naar Jeannie, maar ze glimlacht schijnheilig naar het geruite tafelkleed. Skate kijkt niet, dus valt het haar niet op.

'Bedankt,' zegt Skate. Ze pakt haar vork en valt aan.

'Hoor eens,' fluister ik wanneer Jeannie wegloopt. 'Ga je zaterdag met me mee? Dan gaan we bij papa op bezoek.' Ik hou mijn adem in, alsof niet ademen haar ervan zal weerhouden 'nee' te zeggen. Tot nu toe heeft ze op die vraag nog nooit 'ja' gezegd.

'Ik zie die Ouwe Kraai wel weer als hij thuiskomt,' zegt Skate en ze stopt een vork vol poffertjes met slagroom in haar mond.

'Dat duurt nog maanden, Skate.'

'Laat hem toch in zijn eigen sop gaarkoken,' zegt ze. 'Laat hem toch nadenken over wat voor rotzooi hij ervan heeft gemaakt.' Ze wikkelt haar haren om haar hand en gooit het over haar schouder. 'Hij heeft het geld gejat dat je met je zomerbaantje hebt verdiend, halló zeg!'

Ik voel dat Jeannie naar ons kijkt. Skate voelt het ook, en ze kijkt dreigend naar Jeannie tot die aan haar oorbel begint te frummelen en naar de keuken verdwijnt.

'Weet iedereen het?' vraag ik.

'Dat zal wel. Ze kan m'n kont kussen.'

Ik laat mijn hoofd op mijn armen rusten en glimlach naar Skate. Samen met haar voel ik me nooit zo bang als ik me alleen op mijn kamer op de tweede verdieping van ons huis voel. Ik wilde dat ze weer thuis kwam wonen. Ik wilde dat zij er weer was als de oceaanwind 's nachts om het huis fluit en giert en de vloerplanken kraken en het hele huis lijkt te leven. Op sommige nachten, als er genoeg maanlicht is, kan ik vanuit mijn slaapkamerraam de oceaan zien. De ene na de andere golf klapt schuimend op het strand. Dan bonkt mijn hart en ben ik bang. Als ik bang ben, wil ik zoveel. Dan wil ik dat papa weer thuis is. Ik wil dat het goed met hem gaat. Ik wil dat Skate hem vergeeft. Ik wil van mijn vrienden houden (als ik die eenmaal heb) en een jongen kussen (als ik een goeie tegen het lijf ben gelopen). Ik wil hoop hebben. En die heb ik ook wel. Is het niet raar om hoop te hebben terwijl je het gevoel hebt dat alles naar de knoppen is? En er is nog iets raars wat niemand anders weet: ik ben blij dat mijn vader in de gevangenis zit. Omdat hij in de gevangenis niet kan drinken. Hij kan niet nog erger in de problemen komen. Hij heeft zichzelf zo lang en zo vaak ondergedompeld in Old Crow-whisky dat zijn ingewanden moeten hebben gesopt als een natte spons, maar nu zit hij op een droogje. Alles zal nu veranderen. Ik voel het. Dat is wat ik tegen Skate wil zeggen, maar ze zal me niet willen geloven.

'Hij heeft het niet gestolen,' zeg ik. 'Hij betaalt me wel terug als…'

'Rosie!' zegt Skate, die haar hand over de tafel uitsteekt en mijn pols vastgrijpt.

'Wat is er nou?'

'Word toch eens wakker! Gedraag je toch niet als een stomme tuttebel met zaagsel in je kop! Papa is een alco en een winkeldief en een gemene rat die driehonderd ballen uit je sokkenla heeft gejat. Dat is-ie, die Ouwe Kraai. Ik heb nog zo tegen je gezegd dat je een bankrekening moest openen. Julia zou voor je hebben meeondertekend. Ik heb het je gezegd.'

'Maar hij is ziek, Skate,' zeg ik. 'Ik bedoel, dat is toch zo?'

'Dat zal wel,' zegt Skate, die haar papieren servetje in elkaar propt en op de tafel laat vallen. 'Maar wordt het dan niet eens tijd dat hij beter wordt?'

'Dat wil hij zelf ook. Echt waar.'

Ze staart me aan.

'Kun je zaterdag niet bij hem op bezoek gaan? Al is het maar even?'

'Je weet dat Perry het weekend thuiskomt.' Ze haalt een wijsvinger door de slagroom en likt hem af.

'Mis je Perry?' vraag ik.

'Je hebt geen idee.'

'Hoe is het, Skate?'

'Wat?'

'Ach, laat maar,' zeg ik, terwijl ik voel dat mijn gezicht warm wordt.

'Hé, je hebt mascara op,' zegt ze. Ze knijpt haar ogen halfdicht. 'Ik zag dat er iets aan je was veranderd, maar ik wist niet wat.'

'Maybelline Great Lash.'

'Heb je soms een oogje op iemand?'

'Nee, niet echt,' zeg ik, en dat is grotendeels waar.

Skate zit te wachten tot ik doorga, maar als ik dat niet doe, zegt ze: 'Het meisje met een miljoen geheimen. Het is Gus toch niet, mag ik hopen?'

'Hoezo?'

'Ten eerste is hij te oud voor je. Hij is, eh, 22. Ten tweede is hij overgevoelig, te droevig, te veel geïnteresseerd in dat Watjeskletsgedoe. Ik bedoel, kun je je voorstellen dat die gozer ooit lól heeft? Nee toch? Ten derde… Nou ja, ik kan geen ten derde verzinnen.'

'Ik weet heus wel dat hij te oud voor me is.'

'Hij gaat vast om met puisterige studentes.'

'Je bent verschrikkelijk, Skate.'

Ze zet haar ellebogen op tafel en steunt haar kin op haar handen.

'Ik ben gewoon eerlijk.'

'Niet iedereen kan eruitzien zoals Perry,' zeg ik. Skate is ook knap. Haar donkere haar hangt tot op haar billen en door de zoute zeelucht ontstaan er krullen in de uiteinden, en ze draagt geen make-up, alleen lipgloss en funky nagellak. Ze heeft vaak kasjmier truien met gaten uit tweedehandswinkels aan, topjes met franjes en zwarte Keds-gympen. Ze is geen meisjesachtig meisje. Ik ook niet. Maar jongens staren haar na. Ik zou dat niet willen, jongens die je de hele tijd nastaren. Maar toch.

Skate vist met twee vingers een ijsblokje uit haar glas. 'Wat bedoelde je toen je zei: "Hoe is het?" Bedoelde je verliefd zijn of samen met een jongen in je blootje zijn?'

'Ik weet het niet.' Ik kijk naar de tafel en prik een stukje chocola aan mijn vork. Als ik weer opkijk, glimlacht Skate naar me. Daarna kijkt ze uit het raam, alsof ze nadenkt, maar je kunt zo zien dat ze niet aan mij denkt. 'Zeg alsjeblieft dat je binnenkort een keertje bij papa op bezoek gaat.'

Skate zucht. 'Rosie, alsjeblieft… Doe niet zo mega-irritant.' Ze gebaart naar Jeannie dat ze de rekening wil en haalt geld uit haar zak.

'Luister, wil je hem dan een brief schrijven?' Ik zoek in mijn rugzak naar zijn adres, schrijf het op een velletje papier, scheur dat af en geef het haar. 'Alleen maar een brief. Al is het een korte krabbel.'

'Oké, oké. Ik zal die Ouwe Kraai schrijven. Vraag me alleen niet wanneer.'

'En noem hem niet meer "de Ouwe Kraai."'

Maar Skate loopt al naar de deur. Het motregent buiten en ik veeg de waterdruppels van mijn fietszadel. Skate kwakt haar board op de weg en zet er een voet op. Ze trekt even aan mijn haar. 'Ik ga je zien, mascaraqueen.'

'Kom snel een keertje langs, wil je? Bij Angie en mij.'

Ze haalt haar schouders op. 'Ja, oké.' Skate rijdt weg, keert dan en stopt naast me. 'Rosie, je wilde toch weten hoe het is? Nou, het is beter dan wat dan ook ter wereld.' Ze ziet er onwijs blij uit en daarna gaat ze er met een paar stevige afzetten vandoor en zoeft weg, terwijl haar haren achter haar aan wapperen en uitwaaieren. Zelfs als ik harder begin te rijden op mijn fiets, kan ik haar niet meer bijhouden.

Skate

Soms is het kiezen of delen. Dus smeer ik 'm vrijdag van school voor Amerikaanse literatuur begint. Ik heb zelf een briefje geschreven waarin staat dat ik een afspraak met de dokter heb; met een vervalste handtekening van Angie, die op het ogenblik formeel mijn voogdes is. In mijn rugzak zitten een paar boeken, lipgloss, ondergoed, een tandenborstel en een punt van Julia's zelfgebakken appeltaart in plasticfolie. Ik stap op mijn board en rij onder een sombere hemel naar Sea Cove. Daar moet ik wachten op de trein tot ik de lange reis naar Rutgers kan maken. Ik ga Perry verrassen.

Gisteravond belde hij op en zei: 'Slecht nieuws, Skate.' Voordat mijn hersenen dat hadden kunnen verwerken, vertelde hij me dat hij dit weekend niet naar huis kon komen en dreunde een lijst op met alles wat hij nog moest doen: een gigalastig economiewerkstuk en studeren voor tentamens chemie en wiskunde. Hij zei: 'Volgend weekend, Skate. Volgende weekend ben ik er helemaal voor jou. Wie is er stapelgek op je?' Hij zegt altijd dat hij stapelgek op me is.

Dus als hij niet naar mij toe kan komen, dan ga ik wel naar hem toe. Ik heb hem niet gebeld. Ik wil hem niet de kans geven om het me uit mijn hoofd te praten. Ik weet dat hij moet studeren, dus breng ik alleen de nacht bij hem door en dan peer ik 'm weer. Ik heb vanmorgen een briefje voor Julia achtergelaten dat ik vanavond met Rosie heb afgesproken, en na de dagopening op school heb ik Rosie aangeschoten en haar verteld wat ik van plan was, mocht Julia naar me op zoek gaan. 'Dat kun je niet maken,' zei Rosie, die mijn arm hard vastgreep. 'Stel je voor dat Julia naar ons huis opbelt?'

'Dat doet ze niet.' Maar Rosie bleef staan, beet op haar lip en zag er heel bezorgd uit. 'Alsjeblieft, niet zeiken nou,' zei ik tegen haar. 'Ik moet er echt heen.' Ten slotte ging ze ermee akkoord.

Wanneer ik in New Brunswick ben, weet ik de weg wel. Perry en ik hebben deze reis in de zomer een paar keer samen gemaakt. Sommige straten zijn steil, te steil om op mijn board te kunnen rijden, dus loop ik een deel van de route. Het wordt steeds donkerder. Uiteindelijk is het behoorlijk fris en hangt er een purperkleurige avondlucht. Dode bladeren wervelen als draaikolkjes in windvlagen boven het trottoir, en dan sta ik voor het studentenhuis waar Perry een kamer heeft. Het wemelt er van de jongens en meisjes die kletsen en lachen, sommigen in hun mobieltje. 'Acht uur. Bij Squibley's!' roept iemand. Twee lachende meisjes lopen langs met heksenhoeden in hun hand; het is binnenkort Halloween.

Perry woont op de begane grond, en ik glip naar binnen op het moment dat een stel jongens naar buiten komt. Perry's kamer ligt aan het eind van de gang en de deur zit op slot, dus klop ik een paar keer en wacht. Op zijn mededelingenbord naast de deur staat:

P—

WAT TIJD OVER VOOR EEN GOZER MET STINKSOKKEN?

POES KAN IEDER MOMENT BESCHIKBAAR KOMEN.

—G

In de gemeenschappelijke ruimte plof ik neer op een zitzak om te wachten. Hij zal vroeg of laat wel opduiken. Ik lees voor school een hoofdstuk uit *De rode letter* terwijl er studenten in- en uitlopen. Een hoogblond meisje glimlacht naar me en ik vraag haar: 'Ken je Perry Brockner?'

'Absoluut,' zegt ze, terwijl ze op me af loopt. 'We hebben samen scheikundelab.'

Haar bijna witblonde haar wordt met een hoofdband in een Schotse ruit bij elkaar gehouden. Ze heeft zelfs blonde wimpers. En al ziet ze er zo alledaags uit als een aardappel, ze lijkt me wel aardig. 'Ik ben zijn vriendin,' zeg ik. 'Ik zit te wachten…'

'Dan ben jij dus Skate!' zegt ze. 'Wat leuk je te ontmoeten. Ik ben Eleanor. Heb je hem op zijn mobieltje gebeld?'

Ik knik. Ik wil niet dat ze erachter komt dat ik geen mobieltje heb. 'Ik zit gewoon te wachten,' zeg ik.

'Ik woon boven, in twee-tien. Mocht je iets nodig hebben.' Ze herschikt haar geruite haarband, glimlacht nog een keer en loopt de gezamenlijke ruimte weer uit.

Ik maak een verlanglijstje:

1. MOBIELTJE

Onder in mijn rugzak zit een flesje nagellak. Ik krab het pure purper van mijn nagels af en smeer er een laagje puur blauw op. Iedere keer wanneer er iemand binnenkomt, schiet mijn hoofd omhoog, maar Perry is het nog steeds niet. Een leuke jongen glimlacht naar me en ik glimlach terug. Hij loopt heen en weer, keurt me. 'Hallo,' zegt hij ten slotte. Ik glimlach, blaas op mijn drogende nagellak.

Ik stel me voor dat ik met deze jongens praat en hun vertel dat ik Skate heet. *Skate.* Voor het eerst klinkt het me een beetje bizar in de oren. Ik word Skate genoemd sinds ik op mijn vijfde leerde skateboarden. Ik was er goed in, meteen vanaf het begin. Tegen de tijd dat ik zeven was, kon ik een *hardflip* en een *grind*. Daarna bleef het 'Skate'. En mijn board brengt me natuurlijk nog steeds overal heen. Maar het zou misschien wel fijn zijn om een auto te hebben. AUTO, voeg ik aan mijn lijstje toe.

Perry heeft nu Julia's oude Hyundai. Zou ik ooit een auto krijgen? Niet erg waarschijnlijk als je bedenkt dat de Ouwe Kraai de zijne niet eens meer heeft. Een paar maanden voordat hij naar de gevangenis ging, heeft hij zijn pick-uptruck total loss gereden. Hij kreeg een boete en werd naar een afkickkliniek gestuurd. En op de dag dat hij daar werd ontslagen, dezélfde dag, begon hij weer te drinken... ook al hadden Rosie en ik tijdens zijn afwezigheid alle verstopte flessen whisky opgesnord en in de gootsteen leeggegoten.

De laatste keer dat ik de Ouwe Kraai heb zien rijden, was vlak voordat hij de strandmuur ramde. Hij reed met een slakkengangetje over Ocean Avenue, de maximumsnelheid nog lang niet in zicht. Ik was op mijn skateboard en reed hem tegemoet. Hij was bezopen, zat als een oud omaatje over het stuur gebogen en in zichzelf te praten, of te zingen. Ik weet het niet. Ik naderde hem op mijn board – we waren de enigen op straat, geen andere auto's of mensen te bekennen, en hij keek naar me maar zag me niet eens. Míj, Skate! Hij was weer eens dronken. Dus stak ik mijn middelvinger op. Nog steeds geen reactie. Jezus. Ik krijg het warm en ik erger me bij de herinnering, daarom trek ik mijn trui uit en stop hem in mijn rugzak.

Misschien wordt het tijd om 'Skate' af te schaffen. Mijn echte naam is Olivia. Misschien moet ik verder als Liv door het leven gaan, zoals Liv Tyler. Of misschien is Via wel wat. Ik vraag me af of ik er als een Via uitzie. Ik haal een zakspiegeltje tevoorschijn en kijk. 'Via,' zeg ik. Nee. Ik zie het niet.

Nog steeds geen Perry. Ik drink wat water uit het fonteintje en daarna vind ik, terwijl ik in mijn rugzak op zoek ben naar een halfleeggegeten zak zoute krakelingen, het stukje papier met het adres van de Ouwe Kraai. Daar staat het in Rosies kleine, nette handschrift: GEVANGENE NUMMER 147782. Hoe heeft die Ouwe Kraai nummer 147782 kunnen worden? Hoe kan dat met iemand gebeuren? Ik verfrommel het papiertje en gooi het in de prullenmand.

O, Perry, waar blijf je nou? Ik mis hem op alle mogelijke manieren. Thuis is zonder hem gewoon thuis niet meer – Little Mermaid is nu als een schelp zonder het bulderen van de oceaan. Hij is mijn beste vriend. Hij liegt nooit tegen me. Als er snot uit mijn neus hangt, zegt hij dat tegen me. We brachten iedere dag samen door, dus mis ik nu alles. Surfen, rondhangen, calzone met peperoni eten bij Denardino's aan de promenade, krabben vangen met een aaslijntje in de lagune, elkaar tussen lessen door tegen het lijf lopen, uitkleden, kussen, handen vasthouden, sekspicknicks. Maar het praten mis ik het meest. Mijn tijd om met hem te praten is minstens gehalveerd. Dus wacht ik op de weekenden waarin Perry naar huis kan komen. Doordeweeks praten we telkens maar een paar minuten met elkaar, omdat Perry altijd net ergens arriveert of net weg moet. Dus laat ik lange berichten op zijn mobieltje achter. Ik vertel hem wat ik denk. Ik praat over van alles, over de Ouwe Kraai en alles wat belangrijk is. Een eenzijdig gesprek is beter dan geen gesprek; het is tenminste iets tot we elkaar weer kunnen zien.

Julia zegt dat ik vriendinnen nodig heb. Maar dat komt omdat zij een hele rits vriendinnen heeft. Ze is gescheiden van Perry's vader en gaat nu om met een gozer die Hal heet. Maar ze gaat altijd met haar vriendinnen op stap. Ik kan met een heleboel kinderen op school goed opschieten, maar er is niemand die ik zo graag mag als Perry.

Alsof hij dat heeft gehoord, komt hij ineens binnen. 'Perry!' roep ik. Hij is samen met een meisje, een meisje met donker, glanzend haar en donkere ogen zoals de zijne. 'Skate!' zegt hij, terwijl hij even blijft staan en me verbaasd aanstaart. Dan drukt hij me stevig tegen zich aan.

'Dit is Gina. We hebben vandaag samen gestudeerd.' Gina en ik glimlachen naar elkaar. Haar haren glanzen onder het lamplicht nog meer.

'Nou, dan maken we het in het weekend wel af,' zegt Gina tegen Perry. 'Volgende week hebben we een heel zwaar tentamen,' zegt ze tegen mij. Ze loopt met gebogen hoofd weer de regen in en zwaait nog even.

'Kijk nou eens even, jij hier,' zegt Perry. Hij slaat een arm om me heen en geeft me een kusje op mijn voorhoofd.

'Ik ben beter van je gewend, meneertje,' zeg ik.

'Alles op zijn tijd, maatje,' zegt hij. 'Is er iets aan de hand, Skate?'

'Jij en ik zijn toe aan een nachtje samen.'

Hij glimlacht en knikt, pakt voorzichtig mijn hand vast en leidt me door de gang. Hij lacht als hij het bericht op zijn mededelingenbord leest. Binnen zet hij mijn rugzak op een stoel en kust me, een echte zoen nu. We laten ons op het bed vallen en knuffelen een tijdje. Ik vertel hem mijn plannen, dat ik heel blij ben hier te zijn, hoe lang ik op de zitzak heb zitten wachten. 'Ik rammel van de honger,' zeg ik terwijl ik zijn gezicht aanraak. 'Laten we pizza of zoiets halen.' Regendruppels kletteren tegen de ramen.

'Ik heb een beter idee. Simon is naar huis, dus hebben we de kamer voor onszelf.' Hij haalt een pak wasmiddel tevoorschijn. 'Ik ben zo terug,' zegt hij.

Ik hoor hem op deuren kloppen en al snel komt hij terug met een punt cheddarkaas, één *Pop-Tart* met chocolade en een grote, dikke tomaat. 'De moeder van Dragonetti kweekt die zelf in haar tuin. Een feestmaaltijd wordt het.' Hij pakt een pan, een grilloventje, een blik soep, en uit de minikoelkast een stel Engelse muffins. Hij zet de soep op, warmt de muffins in het oventje op en snijdt op zijn bureau de kaas en de tomaat in plakken. Het regent nu harder, het water stroomt buiten langs de ramen. Perry doet de gordijnen dicht, steekt een kaars aan en zet 'Drops of Jupiter' op. We zitten met gekruiste benen op de grond naar elkaar te glimlachen. Hij roostert de muffins nog een keer, nu met kaas en tomaat, terwijl de soep in de pan staat te pruttelen. En daarna geeft Perry me een plastic kom vol soep met sterretjesvermicelli en een verbogen lepel. Ik zal me dit altijd blijven herinneren. Mijn feestmaal op Perry's studentenkamer.

We eten alles op en ik haal Julia's taart tevoorschijn. 'Moet je ruiken,' zeg ik. 'Je moeder heeft van de week samen met haar vriendinnen appels geplukt.' Ik had de taart speciaal voor Perry bewaard, maar hij blijft me hapjes geven, omdat hij nu eenmaal erg aardig is.

We likken onze vingers af en we peuzelen de appeltaart tot het aller-laatste kruimeltje op. Maar we besluiten de Pop-Tart voor het ontbijt te bewaren.

We kruipen onder de dekens terwijl de regen tegen de ramen slaat. Perry trekt zijn sweatshirt uit en ik raak de klimplanttattoo aan die zich om zijn bovenarm windt. Ik wil er ook een. Ooit. In gedachten schrijf ik het op mijn verlanglijstje onder MOBIELTJE en AUTO: KLIM-PLANTTATOO.

We kussen lang. 'Ik mis je,' zeg ik.

'Het is moeilijk, hè?' Ik knik en hij houdt me stevig vast. Zijn mo-bieltje riedelt.

'Alsjeblieft, neem hem niet op.'

'Oké,' zegt hij.

We zoenen nog wat meer, maar Perry maakt zich ineens los en kijkt me aan. 'Skate, ik wil niet dat mijn moeder zich ongerust om je maakt.'

'Dat gebeurt ook niet. Jezus, Perry. Waarom zeg je dat?'

'Stel nou dat ze naar je huis belt? Wat dan?'

'Dat doet ze niet. Bovendien weet Rosie het. Rosie zit in het com-plot. Relax, man.'

'Rosie de medeplichtige,' zegt hij minachtend snuivend. 'Rosie is een belabberde leugenaar.'

'Wat zit je dwars? Jezus. Ben je niet blij me te zien?'

'Ja,' zegt hij en hij drukt zijn gezicht tegen het mijne. Ik voel dat hij glimlacht tegen mijn nek. 'Ik ben heel blij.'

'Mooi zo,' zeg ik. 'Hou dan je mond.'

'Maar er is nog iets.'

'O, alsjeblieft.'

Hij komt op een elleboog overeind en kijkt me aan. 'Je moet bij je vader op bezoek.'

'Nou is het genoeg!' zeg ik. Ik gooi de dekens van me af en zwaai mijn benen uit bed.

Hij pakt mijn arm vast en trekt me terug. 'Luister naar me, heethoofdje van me. Je kunt niet doen alsof je vader niet bestaat, wat voor een waardeloze klootzak hij ook is.'

Perry's eigen vader is eigenlijk ook een waardeloze klootzak. Hij heeft Julia meer dan eens bedrogen, maar hij betaalt bijna altijd zijn alimentatie en heeft een deel van Perry's collegegeld gedokt, dus een totale uitvreter is hij niet. Ik laat mijn hoofd weer op het kussen neerploffen en Perry trekt de deken over me heen.

'Aan wiens kant sta je eigenlijk?' vraag ik.

'Aan de jouwe.'

Ik pak zijn gezicht in mijn handen vast en kijk hem aan zodat hij wel naar me móét kijken. 'Hij verziekt alles, Perry. Hij is een loser. Ik kan hem absoluut niet uitstaan.'

'Je hoeft hem ook niet uit te staan. Ga alleen een uurtje bij hem op bezoek. Ik ga wel met je mee, als je dat wil.'

'Wat dacht je van een brief? Ik schrijf hem wel.'

'Een brief is ook goed.'

'Oké. Wil je dan nu je mond houden?' Ik moet niet vergeten morgen zijn adres uit de prullenmand te vissen. Maar ik heb absoluut geen haast om een brief naar hem te schrijven.

Perry nestelt zich dicht tegen me aan. 'Ik zal nu mijn mond houden, maar jij moet morgenochtend vroeg weg. Echt waar. Ik kom om in het werk.'

Ik kijk naar de stapel boeken. 'Hoe laat gooi je me eruit?'

'Na de Pop-Tart. Ik breng je naar de trein en ga dan meteen door naar de bieb.' Op zijn nachtkastje staat een foto van ons, hand in hand in onze wetsuits op het strand. Ons haar drijfnat.

'Volgend weekend. Volgend weekend ben je er helemaal voor mij,' zeg ik terwijl ik hem in de ogen kijk.

'Ja, ja, ja,' fluistert Perry en hij kust me op mijn voorhoofd en mijn neus en mijn mond.

Hij doet het licht uit. De kaars flakkert. 'Ik vind het leuk op de universiteit,' zeg ik.

'Mooi zo.' Hij lacht. 'Dan vindt tenminste een van ons dat.'

'Ik heb Eleanor ontmoet. Ze is heel aardig.'

'O ja? Elle is fantastisch. Ze is mijn studiemaatje bij scheikunde. Ze is veel slimmer dan ik.'

'En dat andere meisje?'

'Gina? Met haar samen volg ik economiecolleges.'

'Gina is megaknap, *dude*.'

'Nou en?' zegt hij terwijl hij me dromerig aankijkt.

'Nou en niets,' antwoord ik. Hij kust me. 'Vertel eens,' zeg ik daarna en ik veeg ondertussen mijn haar uit mijn gezicht. 'Zie ik eruit als een Liv?'

Hij schudt zijn hoofd en trekt mijn T-shirt over mijn hoofd uit.

'Als een Olivia dan?'

'Jij bent Skate. Dat past perfect bij je.'

Ik trek zijn shirt uit.

'Ik ben stapelgek op je,' fluistert hij en hij neemt me halfnaakt in zijn armen. Hij is er weer, mijn stapelgekke vent.

Rosie

Het zou erger kunnen zijn in de Ocean Grove-gevangenis, maar toch is het er behoorlijk akelig. Terwijl ik doorloop naar de tweede controlepost, haalt een gespierde bewaker met zijn harige arm mijn handtasje overhoop. Ik wil hem niet aankijken.

We lopen snel de bezoekruimte in en ik gris de Monopoly-doos van de plank. Toen ik hier de eerste keer was, ben ik achter twee dingen gekomen: ten eerste moet je hier vroeg zijn als je een spelletje wil hebben – Monopoly, Scrabble, Yahtzee, Rummikub – want ze zijn allemaal snel verdwenen; ten tweede heb je kwartjes nodig voor de verkoopautomaat als je wat wilt eten. Een bevroren pizza is drie dollar – twaalf kwartjes – en er zijn geen wisselautomaten. Je kunt niet even uit de gevangenis weglopen om kwartjes te gaan halen en terugkomen. Als je eenmaal bent vertrokken, laten de bewakers je er die dag niet meer in.

Het is een grote, lelijke, sombere ruimte met lange tafels en banken. Met mijn kwartjes in mijn zak ga ik samen met Angie aan een van de tafels in het midden zitten, het Monopoly-spel tegen me aan gedrukt. We wachten. Angie blaast een kleine, roze kauwgombel, zuigt hem terug in haar mond en glimlacht naar me. Ze is kapster en heeft onlangs een baantje bij de enige kapperszaak op het eiland kunnen krijgen. Ze heeft zwartgeverfd haar in een Cleopatra-coupe: het is ter hoogte van haar kin kaarsrecht afgeknipt en heeft een pony die bijna tot op haar wimpers hangt. Ze is mooi, maar ietsje aan de mollige kant. Ik vraag me af of ze boos is over gisteravond. Het is een lang verhaal, maar de korte versie is dat Angie ontdekte dat Skate haar handtekening had vervalst op het briefje voor school, en Julia weet dat Skate naar Rutgers is gegaan. Als iemand de boel op stelten kan zetten, dan is het Skate wel.

Uiteindelijk opent een bewaker de deur en komen de mannen in oranje overalls binnen. Ze zien eruit als bouwvakkers. Ik vraag me af wat voor misdaden ze hebben gepleegd. Mijn vader loopt wat stijfjes, alsof hij ouwenmannenbenen heeft. 'Hallo, lieverds,' zegt hij terwijl hij zich langzaam op de bank laat zakken. Jeminee, wat ziet hij er slecht uit, als een leeggelopen ballon. Maar zijn blauwe ogen staan levendig. Ik voel me zenuwachtig, trillerig, zoals iedere week, alsof ik iemand voor het eerst ontmoet.

'Ik neem de schoen,' zegt papa. Hij tikt zijn lopertje met duim en wijsvinger naar AF, naast mijn hoed. Daarna leunt hij naar voren en kijkt toe terwijl ik het bord klaarmaak. Ik sorteer de vettige stratenkaartjes en tel onze stapeltjes geld uit. Hij trilt nog steeds, maar lang niet zo erg meer als eerst.

'Ik ga alles kopen waarop ik terechtkom, zelfs de goedkope straten,' zeg ik tegen hem. 'Ik word een huisjesmelker.'

'Oké, huisjesmelker,' zegt hij. 'Gooien.' Angie wil niet meespelen, dus zit ze vlakbij in een *Rolling Stone* te bladeren.

Ik gooi, kom op Algemeen Fonds terecht en moet veertig dollar betalen voor operalessen. Daarna gooit hij en krijgt honderd dollar boete voor foutparkeren. Ik kijk even stiekem naar hem – naar zijn dunne harige polsen en zijn magere nek. Ik vraag me af of zijn hersenen nog steeds doorweekt zijn van de Old Crow-whisky of dat de drank al langzaam uit zijn lichaam is verdwenen. Vanochtend, toen ik mijn tanden stond te poetsen, heb ik besloten om voortaan het beestje bij de naam te noemen. Gus zegt op de bijeenkomsten altijd: 'Vertel de waarheid, vertel het zoals het is.' Hij zegt: 'Als het kwaakt als een eend en het ziet eruit als een eend, dan is het een eend.' Eén keer zei Nick, die jongen die bij me op school zit, met die vader op het strand: 'Ik heb er geen probleem mee om het beestje bij de naam te noemen. Ik weet alleen niet wat ik met het beestje aan moet.'

Ik gooi de dobbelsteen en zeg: 'Papa. Je ziet er belabberd uit.'

'Ik voel me belabberd, lieverd.'

O, papa! Mijn hart breekt. 'Zo erg is het nou ook weer niet, hoor,' lieg ik.

'Ja, wel waar,' zegt hij terwijl zijn blik in mijn richting glijdt. 'Luister, schat, dat ik me belabberd voel, heeft niets met jou te maken.'

Maar waarom ga ík me dan nu zo belabberd voelen? We gooien om de beurt met de dobbelsteen. We verzamelen allebei wat straten. Ik vraag me af of een van ons in de gevangenis zal belanden.

Een joch met stekeltjeshaar zit vlak naast me en doorboort met zijn ogen zowat mijn schedel. 'Wanneer zijn jullie klaar?' vraagt hij.

'Dat weet ik niet. Over een tijdje,' zeg ik.

'Billy!' gilt de moeder van de jongen. 'Val dat meisje niet lastig. Kom met je zus Cluedo spelen.'

'Ik haat Cluedo. Het is oersaai. Die stomme kolonel heeft het gedaan, met een stomme steeksleutel in die stomme keuken.' Eerst kijkt hij woedend naar mij, dan naar het Monopoly-bord, en maakt zich dan stilletjes uit de voeten.

'Rosie, schat,' fluistert papa. 'Wat zou je ervan zeggen als we dat joch Monopoly laten spelen?'

'Wil je niet spelen?'

'Ik geef eigenlijk niks om Monopoly. Ik ben vooral blij om jou te zien,' zegt hij. Hij steekt zijn hand over de tafel uit en knijpt in de mijne. Zijn vingers zijn warm en trillen.

Ik weet dat ik het spel aan de jongen zou moeten geven. Het is nog maar een kind, misschien een jaar of tien. Ik snap er eigenlijk niets van, maar ik wil heel graag met mijn vader Monopoly spelen. Ik kijk hem aan.

'Oké, goed dan. Gooien, huisjesmelker.'

Dat doe ik.

We spelen nog even door, maar na een tijdje gaat het bij mij niet meer van harte. 'Zullen we stoppen?' vraag ik. Papa knikt en gaapt. Ik begin alles op te ruimen.

Het jochie duwt me zowat opzij. 'Laat mij maar!' Hij houdt de doos tegen de zijkant van de tafel en met één zwaai van zijn arm belanden kaartjes, lopertjes, dobbelsteen, huizen en hotels in de doos. 'Jezus, wat doe jij moeilijk,' zegt hij tegen me en hij draait zich om.

Papa schatert van het lachen. Het is lang geleden dat ik hem zo heb horen lachen. 'Nou, dan heb je haar zus nog niet ontmoet,' zegt hij. We glimlachen naar elkaar, een echte glimlach. 'Geen Skate vandaag?'

Ik schud mijn hoofd.

Hij knikt. 'Misschien over een paar weken.'

'Misschien,' zeg ik en ik knik hoopvol.

'Ze is vast woedend op me.'

'Ik weet het niet,' lieg ik.

'We komen er wel uit,' zegt hij knipogend. 'Werkt ze 's zaterdags nog steeds op de vismarkt?'

'Papa, dat deed ze twee jaar geleden! Skate werkt op de promenade.'

'Ik heb zaagsel in mijn kop,' zegt hij terwijl hij met een vuist tegen zijn hoofd klopt.

Ik vertel hem over Lucky Louie's, de speelhal waar Skate werkt. Meestal werkt ze achter de prijzenbalie. Je kunt puntenkaartjes winnen met skeeball, een soort bowlen, en met andere spelletjes, en ze dan inwisselen voor dingen als jojo's, spinnenringetjes en stuiterballetjes. 'Allemaal rotzooi', noemt Skate dat. Voor de goede prijzen, de mini-stereo en de keukenmachine, heb je wel 130.000 punten nodig. Niemand haalt ooit zo veel punten. Als het waarzegapparaat geen kaartje met een voorspelling wil uitspugen, geeft Skate er een stevige trap tegen. Ze doet zo ongeveer alles daar.

'En jij?'

'Herinner je je nog wat ik van de zomer deed?' vraag ik.

'Aan de baai…' zegt hij, wijzend met zijn duim. 'Ja, bij, eh…' Dus vertel ik hem maar dat ik bij Barnacle Bob's heb gewerkt, waar ze rubberboten en fietsen verhuren en snoep verkopen. Volgend jaar zomer ga ik daar weer werken.

'Ik herinner het me,' zegt hij, maar ik geloof hem niet.

Ik kijk hem diep in de ogen aan en vraag me af of hij zich nog herinnert dat hij mijn geld uit mijn la heeft weggenomen. Geld dat ik had verdiend met het opblazen van drakenboten, het scheppen van Italiaans ijs en het verkopen van toffees. Ik ga staan en voel in mijn zak. 'Ik ga een pizza halen.'

'Ik heb nog wel een paar dollar,' zegt papa, terwijl hij zijn hand in zijn zak steekt.

'Je moet kwartjes hebben, papa.' Ik loop naar de verkoopautomaat, gooi er al mijn kwartjes in en met een geruststellende klap valt de pizza onder in de bak.

Ik ga in de rij voor de magnetron staan. Er staan twee mensen voor me, een kind met een snotneus die een mozzarellakroket wil opwarmen, en een man in een oranje overall met een bonenburrito. Die man zou mijn wiskundeleraar wel hebben kunnen zijn. Hij heeft kort haar en ziet er best stoer uit. Wat zou hij hebben gedaan? Belastingontduiking, besluit ik. Een magere man met de bouw van een kraanvogel koopt een fles gazeuse en gaat bij een ouder stel zitten. Zijn ouders, denk ik. Misschien een inbreker. Een vent met een tattoo en een paardenstaart houdt een baby vast – creditcarddiefstal. Zelfs een klein kind dat een smerig dekentje achter zich aan sleept, ziet er schuldig uit. Misschien zou je, als je bij iedereen in zijn binnenste kon kijken, altijd wel een of ander misdrijf vinden. Wat is het mijne? Ik kan het beestje niet bij de naam noemen.

Ik moet drie minuten op de kaaskroket wachten en nog eens vier minuten op de burrito. Ik blijf achterom naar mijn vader kijken, alsof hij zomaar ineens zou kunnen verdwijnen. Hij zit met Angie te praten en ik vraag me af of ze hem zal vertellen dat Skate heeft gespijbeld en naar Rutgers is gegaan. Niet dat het wat uitmaakt, want wat kan hij nou doen? Maar ik denk niet dat ze het zal vertellen. Ten slotte leg ik mijn pizza in de magnetron. Drie minuten later komt er stoom af en ruikt hij goed. Ik pak wat servetjes.

'Neem een hap,' zeg ik tegen papa.

Hij schudt zijn hoofd.

'Angie, eet wat,' zeg ik.

'Niet na dat ontbijt van ons. De rest van de dag eet ik alleen nog maar sla.'

'Eet!' Ik schuif het bord naar mijn vader.

'Bazige tante,' zegt hij. Hij neemt een muizenhapje en schuift het bord weer terug. 'Is het fijn om weer terug in je geboorteplaats te zijn, Angie?'

'God, ja. Miami was leuk, maar ik voelde me er niet echt thuis. Iedereen is zo slank en bruin en zo bijzonder. Ik wil gewoon in een winterjas kunnen lopen en chocoladekoekjes eten.'

Papa glimlacht.

'Ik ben dol op het oude huis, en Rosie en ik kunnen goed met elkaar overweg,' voegt Angie er nog aan toe.

Papa geeft me een zacht trapje onder de tafel. 'Ze is een goeie meid, deze.'

'Ik wil je wat vragen,' zegt Angie. Ze kan niet stilzitten van de zenuwen. 'Ik bedoel, is het goed dat Skate bij de moeder van haar vriendje in huis zit? Ik bedoel, dat is toch geen probleem, hè?' Angie blijft haar rok gladstrijken die ietsje te strak zit. Skate zou waarschijnlijk zeggen dat ze er in die rok als een opgestopte worst uitziet.

Papa kijkt me aan en ik zie dat hij geen idee heeft wat er aan de hand is.

'Ze woont al een tijdje bij Julia,' vertel ik hem. 'Zelfs nog voordat je hierheen ging. Ze was daar al heel vaak.'

Hij knikt, maar ik geloof niet dat hij het snapt.

'Perry studeert op Rutgers,' zeg ik luider. 'Hij is in september begonnen.'

Hij knikt weer. Geen idee, hij heeft geen idéé.

'Dus dat is oké?' vraagt Angie hem.

'Als het voor, eh…' Papa kijkt me hulpeloos aan.

'Julia!' snauw ik. 'Julia is Perry's moeder.'

Papa knikt en legt zijn hand over de mijne, maar ik trek hem eronderuit.

'Hoe is het hier?' flap ik eruit.

'Er zijn heel veel regels.'

'Wat voor regels?'

'Wanneer je moet opstaan, wanneer je onder de douche moet, wanneer je moet eten.' Hij zucht. 'Wanneer je mag praten, wanneer je stil moet zijn, wanneer je naar bed moet.'

'Is dat heel erg?'

'Nee,' zegt hij. 'Er zitten hier geen akelige types.'

'Hoe ziet je kamer eruit?'

'Het is een slaapzaal.'

'Hoe is dat? Ik wil het me kunnen voorstellen.'

'Nee, dat wil je niet, schat.'

'Wel waar.'

Hij legt het me uit. Het is een heel grote ruimte met ramen. Er staan ongeveer veertig stapelbedden in. Hij heeft een bed beneden. Elk bed heeft een kussen en een deken. Lakens en slopen worden iedere week verschoond.

'Heb je een kast? Laatjes?'

'Een kleine locker.' Hij zucht weer. 'Ik word moe van je, meis.'

'Wat zit er in dat kastje?'

Hij somt een lijst op: zijn tandenborstel, scheerapparaat en toiletspullen. Hij heeft drie oranje overalls, ondergoed en sokken. Ook een foto van mij en Skate en mijn moeder op het strand terwijl we op een deken boterhammen zitten te eten. Ik herinner me die niet.

'Komt er zon op die slaapzaal?'

''s Morgens.'

'Hoe laat maken ze je wakker?'

'Halfzeven.'

'Waar is de badkamer?'

'Direct daarnaast.'

'Moet je in de rij staan?'

'Het is een grote ruimte. Rosie, ik word doodmoe van je.'

'Wacht, nog even. Bedoel je een grote ruimte met douches en wc-hokjes? Net als bij een gymzaal?'

'Ja, maar geen hokjes.'

'Helemaal geen hokjes?'

'Privacy hebben we hier niet, schat.'

'Moet je dan naar de wc waar iedereen bij is?'

Hij knikt. 'We zitten hier in de gevangenis, schat.'

'Ik bedoel,' fluister ik, 'ook als je een grote boodschap moet doen?'

'Ja, zo gaat dat hier.'

Dat vind ik verschrikkelijk, misschien nog wel verschrikkelijker dan opgesloten zitten. Ik begin te huilen. Ik probeer het niet te doen, maar ik voel de tranen in mijn ogen springen en over mijn wangen lopen. Hoe kun je nou op de wc zitten zonder enige privacy? Hij pakt mijn hand weer en ik laat hem nu zijn gang gaan. 'Wat ben je toch een raar kind,' zegt hij. 'Denk er nu maar niet meer aan.'

Ik huil nu echt en ik heb geen papieren zakdoekje, dus veeg ik mijn neus aan mijn mouw af. Angie rommelt in haar tas en vindt er een, helemaal verfrommeld en met stofpluisjes eraan. Het kan me niets schelen en ik snuit luidruchtig mijn neus. Vast niemand vindt een meisje zoals ik leuk, een meisje met een vader in de gevangenis. Wanneer word ik nou eens gekust? Waarschijnlijk nooit. Ik doe mijn ogen dicht en begin weer zachtjes te huilen.

'Het is niet de bedoeling dat het leuk is, schat,' zegt papa vriendelijk. Hij is rustig en houdt mijn hand vast. Zijn hand trilt alsof er een kloppend hartje in zit.

Ik doe mijn ogen open en kijk uit het smerige raam naar het stralende zonlicht dat op een omheind terrein valt. Ik hou op met huilen. 'Je moet nog elf weken en twee dagen.'

'Dat lukt me wel.' Hij steekt zijn vuist in de lucht, een klein overwinningsgebaar.

'Kijk, de zon,' zegt Angie. We lopen naar het raam. Buiten is een soort tuin. Als tuin stelt het niet veel voor: beton en een paar banken met een hek eromheen. Maar het is genoeg om in rond te kunnen wandelen. En je kunt je hoofd in je nek gooien om naar de hemel te kijken. Een eenzame paardenbloem is tussen de betonnen platen in een stukje aarde opgekomen.

'Laten we even een eindje gaan lopen,' zegt papa terwijl hij een arm om mijn schouders slaat.

Angie parkeert haar auto op de oprit, zet de motor uit en zegt: 'De pot op met die sla. Laten we taco's eten. Je bent wel toe aan een paar taco's, Rosie.'

Ik glimlach omdat ik weet dat Angie zelf ontzettend veel trek in taco's heeft, maar ik ben er ook wel voor te porren.

'Ik ga even naar de supermarkt en ben in een wip terug.' Terwijl ik het portier aan mijn kant opendoe, zegt ze: 'Waarom nodig je niet een vriendin of zo uit? Dat is echt prima.'

'Ik heb helemaal geen vriendinnen,' zeg ik. Angie slaat haar ogen neer en kijkt naar het stuur – omdat ze door mij in verlegenheid is gebracht, denk ik. Daarom vertel ik haar snel over Carrie Barnes, die op de lagere school tot in groep acht mijn beste vriendin was. Maar toen kreeg haar vader een baan in Illinois en zijn ze verhuisd. 'Ik geloof dat ik haar nog niet heb vervangen.'

'Nou ja, dat komt dan nog wel. Oké, ik ben even weg. Ik ga taco's voor ons halen.'

Ik laat mezelf via de zijdeur binnen en neem de keuken onder handen. We waren vanmorgen laat en hebben de ontbijtboel laten staan: op de chocolademelk is een supervel ontstaan en het drab op de eierbordjes is gestold.

Ik neem aan dat het niet normaal is dat ik geen nieuwe vrienden heb gemaakt sinds Carrie is verhuisd. Maar ik heb gewoon nooit iemand thuis willen uitnodigen terwijl mijn vader altijd dronken op de bank hing.

Ik heb net de gootsteen met schuimend heet water vol laten lopen als Skate via de zijdeur binnenwandelt en op een keukenstoel gaat zitten. 'Ik heb me echt uitstééékend vermaakt,' zegt ze op een overdreven toon.

Ik draai me om, water druppelt op de grond. 'Julia weet dat je naar Rutgers bent geweest en Angie weet dat je haar handtekening op het briefje hebt vervalst.'

'Shit! Hoe kan dat nou?'

Ik laat het eierbordje terug in het sop glijden en vertel haar hoe het is gegaan.

De school belde en liet een boodschap achter dat ze bevestigd wilden zien dat Skate een afspraak met de dokter had. Toen ik thuiskwam vroeg Angie aan mij: 'Heeft ze dat gedaan?' Ik antwoordde: 'Zou kunnen', en begon te blozen, maar dat vertel ik Skate niet. En toen we daarna voor belegde stokbroodjes en sla naar Denardino's gingen, liepen we, ongelofelijk maar waar, Julia en haar vriend tegen het lijf, die daar pizza kwamen eten. Julia zei: 'Hé, is Skate niet bij jullie?' En toen moest ik mijn schouders wel ophalen, maar dat vertel ik Skate ook niet.

En toen vroeg Angie aan Julia of Skate die dag eerder van school weg had gemoeten om naar de dokter te gaan. Toen Julia dat hoorde, trok ze een lelijk gezicht. 'Ze heeft mijn handtekening vervalst,' zei Angie, die haar best moest doen om niet te glimlachen. Julia, die helemaal niet glimlachte, zei toen: 'Ik wil wedden dat ze naar Rutgers is gegaan.' Binnen tien seconden lag het open en bloot op tafel.

'O, shit!' zegt Skate nu. 'Is Angie thuis?'

'Ze is spullen aan het halen om taco's te maken. Ze komt zo terug.'

Skate zucht. 'Shit…'

Ik hou me weer bezig met de borden. Wat Skate niet snapt, is dat dit allemaal niet zou zijn gebeurd als ze met mij mee naar papa was gegaan.

'Je had moeten zeggen dat ik aan het werk was of zoiets,' zegt Skate. Ik kijk nog net op tijd achterom om te zien dat ze haar elleboog in een plasje ahornsiroop zet. Ze trekt een gezicht. 'God, wat zijn jullie toch stomkoppen. Gooi die spons eens hierheen. Frank zou me volledig hebben ingedekt als ze naar Lucky's had gebeld.'

'Waarom heb je me dat niet verteld?' Ik gooi de sopspons naar haar toe en die stuitert van haar sweater op de grond en laat een natte plek achter. Weet Skate dan niet dat ik niet voor haar wil liegen?

'Kijk me niet zo aan,' zegt Skate. 'Is Julia boos?'

'Eerder bezorgd, denk ik. Ze was van plan Perry gisteravond te bellen. Heeft ze hem niet gebeld?'

Skate schudt haar hoofd.

'Je kunt er nog wel vandoor voordat Angie terugkomt,' zeg ik, omdat ik me afvraag of Angie boos is. Ik heb nu geen zin in ruzie.

'Ik ga nergens heen,' zegt Skate terwijl ze haar sweater open ritst. 'Bovendien ben ik wel weer aan eten toe. Ik heb een pasteitje met kip gehad, maar dat was niet meer dan een snack.'

'Vraag je niet hoe het met papa is?'

'Vertel maar.'

'Het gaat wel goed, Skate. Hij vroeg naar je. Je, eh, schrijft hem toch nog wel, hè?'

'Daar gaan we weer,' zegt Skate kreunend. 'Ik ben trouwens zijn adres kwijt.'

'Ik pak het zo wel even voor je.' Ik zucht en glip in de stoel naast haar. 'Waarom voel ik me zo klote?'

'Nou ja, het is ook in alle opzichten een klotesituatie. Die Ouwe Kraai…' zegt Skate en ze schudt haar hoofd alsof alleen hij het probleem is.

'Was het leuk om Perry weer te zien?'

Skate doet even haar ogen dicht. 'Ja!' fluistert ze, en ze krijgt een kleur.

Als Angie terug is, zegt ze niets over het briefje of over Rutgers; ze maakt er geen enkele opmerking over. Al snel zijn we alle drie druk in de weer. Skate raspt de kaas en ik snij een tomaat en een avocado in blokjes. Angie bakt het vlees dat sist in de pan. We maken het avondeten verder af en gaan dan aan tafel zitten.

'Ik herinner me nog dat je een gothic was,' zegt Skate tegen Angie, waarna ze een hap van haar taco neemt.

'Wat een schattig wandelend lijk was ik toen, hè?' zegt Angie.

'Skate en ik dachten dat je dol op Halloween was,' draag ik ook mijn steentje bij. Angie moet in die tijd net zo oud zijn geweest als wij nu, misschien ietsje ouder, zeventien of zo. Skate en ik waren nog heel klein. Angie droeg altijd alleen maar zwarte kleren en had veel make-up op waardoor ze er lijkbleek uitzag. Zwartomrande ogen, zwarte lippenstift. Zwart haar dat rechtovereind stond.

'Hoe kreeg je dat met je haar voor elkaar?' vraagt Skate.

'Eiwit. Je klopt het in een kom tot het stijf in pieken staat en dan smeer je die smurrie in je haar.' Ze lacht. 'Je kon er echt alles mee maken! Hoorns. Een soort hanenkam.'

'Was je net zo'n engerd als je eruitzag?' vraag ik.

Angie schudt haar hoofd. 'We hingen meestal rond in eethuisjes, aten frietjes en kletsten over jongens. Ik hield stiekem van disco. *I need some hot stuff, baby, tonight,*' zingt ze, terwijl ze op het ritme met haar arm in de lucht stoot.

We eten alle taco's en gebakken bonen en guacamole op en blijven dan zitten kijken naar de troep. Ik zou willen dat de borden uit zichzelf naar de gootsteen zweefden en in het afwaswater doken.

'Zo. Skate…' zegt Angie.

Skate kijkt naar haar op.

'Dus jij schrijft briefjes die je ondertekent met mijn naam en verdwijnt van school?'

'Ja, zo zou je het wel kunnen noemen. Maar ik heb het maar één keer gedaan.'

Angie zucht. 'Ik heb het zelf ook een paar keer gedaan.' Ze zakt onderuit in haar stoel en legt haar handen op haar buik. 'Bah! Ik voel me een vieze vreetzak.'

'Ik ook,' zeg ik, terwijl ik mijn spijkerbroek losknoop.

'En ik moet morgen vroeg op om te werken.' Angie gaapt en kijkt met rollende ogen op naar de klok.

Skate pikt wat kaas uit de kom en peuzelt het van haar vingers af. Daarna stapelt ze wat borden en kommen op en loopt naar het aanrecht. 'Luister, Angie, het spijt me,' zegt ze. Ze draait de kraan open en spuit afwasmiddel in de gootsteen.

'Oké, goed dan,' zegt Angie.

En daarmee lijkt het de wereld uit.

Skate

Als ik mijn huiswerk zit te maken en Julia is aan het koken, dan gooit ze altijd een plak kaas of tomaat of een sliert pasta naar me toe, omdat ze weet dat ik dol ben op eten. Maar vanavond negeert ze mijn bedelende wiebelvingers als ik mijn hand uitsteek voor een stukje mozzarella.

'Ik heb een dollar.' Ik vis het geld uit mijn zak en gooi het op het aanrecht. 'Wat kan ik daarvoor krijgen?' Ze glimlacht niet. 'Ik weet dat je het weet,' zeg ik ten slotte.

Julia zucht en legt haar mes neer. 'Skate…' zegt ze. Met de rug van haar hand schuift ze een streng haar uit haar gezicht. Ze verft haar haren knalrood en zet het naar achteren gedraaid met fonkelende klemmetjes vast. Maar op haar filmsterrenhaar na is ze een doodgewone moeder. 'Je kunt hier niet blijven als je tegen me liegt.'

'Ik moest erheen, Julia.'

'Je moest ook naar school en je mag niet tegen me liegen.' Ze kijkt me strak aan. 'Je bent zestien jaar. Je bent minderjarig. Je mag niet eens in het studentenhuis komen…'

'O, Julia, niemand wist het. En ik ben 'm behoorlijk vroeg gesmeerd…'

'Je mag niet tegen me liegen!'

Ik weet niet wat ik moet zeggen, dus zeg ik maar: 'Het spijt me.'

Ze schept de zelfgemaakte marinarasaus over de zitipasta en strooit er ten slotte een laag kaas over. Daarna zet ze de schaal in de oven en stelt haar kookwekker in, die de vorm van een citroen heeft. 'Het wordt moeilijk, Skate, nu Perry ver weg op de universiteit zit, weet je. Misschien moeten jullie het een tijdje rustiger aan doen. Ik zeg niet dat jullie niet met elkaar moeten omgaan, maar misschien op een andere manier…'

'Wil je dat ik wegga?' Ik sta op. 'Probeer je dat soms tegen me te zeggen?' Ik zie al voor me dat ik mezelf terug naar de ruïne sleep die mijn ouderlijk huis is.

'Effe dimmen, meisje,' zegt Julia terwijl ze haar hand op de mijne legt. 'Dat zei ik niet.'

'Heeft Perry gezegd dat we niet meer met elkaar moeten omgaan?' fluister ik.

Ze schudt haar hoofd. 'Ik bedoel alleen dat hij dáár is.' Ze wijst uit het raam over het gladde oppervlak van de lagune. 'En jij bent híér.' Ze wijst zelfverzekerd naar de vloer. 'Je zit de hele tijd op hem te wachten: tot hij belt, tot hij thuiskomt. Je leven speelt zich hier af, Skate, omdat je nu eenmaal hier bent.'

Ze gooit een brok mozzarella naar me toe en ik schrok het naar binnen. Julia's keukenwekker tikt zachtjes door. Ik vind het een gaaf ding, net zoals ik haar huis gaaf vind. Het is hier rustig. Haar huis is piepklein vergeleken bij dat van ons, maar zij heeft allerlei leuke spullen, zoals die keukenwekker in de vorm van een citroen, en een koekoeksklok. Op ieder heel uur steekt een zenuwachtig vogeltje zijn kopje naar buiten en zingt een paar noten, terwijl hij zijn nekje naar voren en naar achteren beweegt; ieder uur kun je op hem rekenen. En Julia kan zo veel lekkers koken met kaas en sauzen, en ook pittige schotels. En hier lekt niets, er valt niets uit elkaar en je krijgt nergens splinters van.

'Behandel me toch niet als een kind, Julia. Als Perry en ik bij elkaar zijn, zijn we geen zestien en achttien of wat dan ook. We zijn gewoon onszelf.'

Ze glimlacht en spoelt de snijplank schoon.

'Snap je dat?' zeg ik.

Ze knikt langzaam, maar ze denkt aan iets wat ze niet vertelt. 'Hoe is het met Perry?' vraagt ze.

'Goed. Heel druk, maar goed. Hij heeft veel vrienden gemaakt. En, Julia, het gaat met mij op school ook goed. Het zit er dik in dat ik dit kwartaal voor een paar vakken zelfs een negen of een tien krijg.' We staren elkaar aan en ik wil haar vertellen hoe blij Perry was me te zien, maar ik doe het niet. 'Alles is oké,' is het enige wat ik zeg.

'Oké dan.' Julia installeert zich met de krant op de bank. Ik blijf even naar haar staan kijken: helemaal chill op de bank, met gekruiste enkels. Haar zilveren enkelkettinkje schittert in het licht en ik voel me zomaar ineens verdrietig, alsof er iets is veranderd, of zal veranderen, maar dat is het niet helemaal. Of wel? Ik moet even de deur uit. Ik zeg tegen Julia dat ik bij Rosie langsga, daar vanavond misschien wel blijf eten, en ze zegt dat ik wat ziti kan opwarmen, als ik dat wil wanneer ik terugkom.

Ik rijd op mijn skateboard naar huis. Je zou die ouwe ruïne eens moeten zien. Mijn overgrootvader heeft het huis omstreeks 1930 gebouwd. Het heeft drie verdiepingen met rondom veranda's en balkons, zes slaapkamers en een torentje alsof het een kasteel is. Ooit was het een koningin en haar hele koninklijke familie waardig, maar nu zit er bruinrot in het hout; het dak is deels ingezakt; de trappen splinteren nogal; de verwarmingsketel heeft het begeven; de plafonds op de tweede verdieping lekken en dus moeten we als het regent emmers en kannen en pannen neerzetten om het water op te vangen. Het is best nog bijzonder, dat enorme oude huis aan zee, maar het is vooral treurig en vervallen. En wij zijn geen koninklijke familie. We zijn altijd alleen maar met mijn persoontje, Rosie en de Ouwe Kraai geweest.

Binnen ruikt het lekker, naar hamburgers met gebakken uien. Op de tafel is het een rommeltje van boeken en kruimels en een natte handdoek. Ik doe de koelkast open en ontdek een met plasticfolie afgedekte kom met *mac 'n cheese*, macaroni met kaas uit de oven. Het is nog warm en met mijn vingers eet ik er wat van. Op de koelkastdeur hangt een lijstje waarop helemaal bovenaan CORVEE staat. Dat ergert me. Angie heeft de huishoudelijke klussen zoals wassen, afstoffen en zuigen, en koken verdeeld. Ze heeft mij zelfs ook ingedeeld, naast SCHOONM.BADK. 1e VERDIEP. Dat is de grote badkamer waarin het bad met klauwpoten staat. En 'corvee' – wat is dat nou voor woord? Het komt regelrecht uit *Het kleine huis op de prairie*. ('Hé, pa, ik ga mijn corvee doen.' 'Oké, ukkie.')

Ik loop naar boven, langs de badkamer waar Angie op haar knieën zit: ze laat water in de badkuip lopen en schrobt hem met een grote boender schoon. Grappig toch – Angie houdt van kleren in de kleur van limoengroen – stel je afwasmiddel voor, antivries, babykots. Luister, ik ben geen modefreak. Ik bedoel, ik zie er best goed uit. Zeker weten. Maar wie ziet er nou goed uit in limoengroen? Nou, wie? En Angie heeft ook een nogal stevige kont. We hebben het hier dus wel over een limoengroene stevige kont.

Ik trek me terug, wil niet dat ze me ontdekken zodat ik alsnog de badkamer moet schoonmaken. Op de tweede verdieping hoor ik de stofzuiger. Ik ga op de trap zitten en probeer te besluiten wat ik zal doen. Rosie heeft boven de Stones opstaan. Als ik blijf, ga ik uit schuldgevoel toch nog de wc boenen of een vloer dweilen. Daarbij komt nog dat Rosie aan mijn hoofd gaat zeuren dat ik een brief aan de Ouwe Kraai moet schrijven. Maar ik wil nu nog niet terug naar Julia. Uit sentimentele overwegingen glijd ik net als vroeger langs de leuning naar beneden – broek van zware spijkerstof, geen zorgen om splinters. Ik schep nog wat macaroni in mijn mond en glip dan de deur uit. Ik loop het strand op en op een duin ga ik met mijn hoofd op mijn capuchon liggen. Met mijn schuivende armen en benen maak ik een engel in het zand. En jij bent hier, hoor ik Julia weer in mijn hoofd zeggen. De zon brandt zachtjes achter de wolken en van de wind begin ik te rillen. Hoe kom ik in hemelsnaam dit jaar zonder Perry door?

'Hé, Frank, ik wil hier even rondhangen, als het oké is.' Frank is mijn baas bij Lucky Louie's op de promenade. Hij ligt languit op de grond om skeeballbaan nummer 1 te repareren.

'Hallo, LD,' zegt hij. LD staat voor 'Lovely Dude', en zo noemt hij alle mooie meisjes. 'Ik ga dat klereding voor eens en altijd repareren.'

'Veel succes,' zeg ik tegen hem. Skeeballbaan nummer 1 loopt voortdurend vast. We moeten bijna iedere keer de baan op lopen en met de hand het poortje opentrekken. Frank heeft een doos met daarin een pizza met peperoni, champignons en worst op de balie gezet en ik neem er een hap van.

'Neem wat van de pizza!' schreeuwt hij.

'Doe ik al, bedankt,' zeg ik met mijn mond vol. 'Mag ik je mobieltje even lenen?'

'Verder nog wat van uw dienst?' Hij kijkt mijn kant op en grijnst zelfvoldaan.

'Ik zal het kort houden.' Ik loop naar de andere kant van de hal en draai Perry's nummer. Hij blijft overgaan. En jij bent hier.

'Met mij. Ik bel je terug,' zegt Perry's voicemail. Het is zondagavond. Waar kan hij dan uithangen? Hij zit vast en zeker in de bieb te studeren en heeft zijn telefoon uitgezet.

'Hé, met mij,' zeg ik. 'Eh, ik wilde alleen even gedag zeggen. Ik vond het vrijdag zo fantastisch. Bel me later. Nee, ik bel jou wel.' Ik kauw op de punt pizza, pak de sleutels van achter de prijzenbalie en zet het waarzegapparaat aan. Het is een hokje waarin een pop zit: een zigeunerinachtige vrouw behangen met juwelen en met een tulband op haar hoofd. De lichten knipperen en ze laat haar lange vingers over een kristallen bol glijden. Binnen een seconde wordt er een kaartje uitgeworpen. JE HOUDT VAN DOLLE PRET EN KWAJONGENSSTREKEN. Ik gooi het kaartje in mijn rugzak boven op mijn ondergoed en tandenborstel.

'Frank, kan ik bij jou komen wonen?'

'Jeetje!' zegt hij. 'En wat moet ik dan tegen mijn vriendinnen zeggen?'

'Ik wil alleen maar bij je op de bank slapen, dude.'

Hij gaat rechtop zitten en glimlacht naar me. Frank is leuk, hartstikke leuk, en hij is een ontzettende flirt. Hij is 21 en werkt het hele jaar door in de speelhal. Louie, 'Lucky Louie', is zijn vader, en het grootste deel van het jaar woont die samen met Franks moeder in Florida. Frank volgt ieder halfjaar colleges in één vak aan het Ocean County College en soms laat hij zelfs die colleges schieten. In dat tempo denkt hij over ongeveer tien jaar zijn bachelordiploma te kunnen halen. Hij heeft veel vriendinnen en komt altijd met hen in de problemen omdat hij ontzettend snel verliefd wordt op meisjes, maar ook weer heel snel op hen is uitgekeken. Hij heeft een groot, vriendelijk gezicht, lichtbruin verwaaid haar en groene ogen in de kleur van zeeglas.

Hij legt zijn moersleutel neer en komt naar me toe, pakt een punt pizza en neemt een reusachtige hap. Hij kauwt als een idioot. Hij is leuk, maar een veelvraat. Terwijl hij kauwt, bekijkt hij me even van top tot teen. 'Ben je er bij mevrouw Dinges uitgegooid?'

'Laten we maar zeggen dat ik haar op de kast heb gejaagd.'

'Dan verhuis je toch weer terug naar je eigen huis?'

'Nou, eh, nee,' zeg ik, terwijl ik met mijn tong langs mijn kiezen glijd om de vastzittende kaas los te peuteren. 'Mijn nichtje zit daar en die is aan de grote schoonmaak begonnen, en je weet hoe idioot groot dat huis is, Frank.'

'Wat een ramp,' zegt Frank terwijl hij zijn ogen afwendt. Hij weet hoe het met mijn vader zit, en telkens als ik iets over mijn, nou ja, 'situatie' zeg, voelt hij zich wat ongemakkelijk.

'Heb je Brockner gezien?'

Ik vertel hem dat ik naar Rutgers ben geweest.

'Daarom is moeders dus kwaad.'

Ik knik.

'Luister nou eens naar je Frankie,' zegt hij, terwijl hij me een klap op mijn schouder geeft. 'Hou je gedeisd. Ga naar huis, boen de gootsteen. Het waait wel weer over en dan kun je weer terug naar hoe-heet-ze-ook-alweer.'

Misschien wel. Maar ik zie het allebei niet zitten. Frank loopt weer naar de skeeballbaan. Ik scharrel onder in mijn rugzak een pen op en schrijf op de pizzadoos.

Hallo pap, hoop dat het goed met je gaat. Ik begrijp best dat het daar geen pretje is en zo, maar ik hoop wel dat je de dagen goed doorkomt. En ik hoop oprecht dat we je dronkemansstreken nooit meer hoeven meemaken. Terwijl ik dit opschrijf, realiseer ik me dat het wel een erg grote wens is die misschien wel nooit in vervulling zal gaan. Sorry als dat onaardig klinkt, maar ik ga niet om de hete brij heen draaien. Misschien is het positieve aan deze hele geschiedenis dat ik nooit een goeie innemer zal worden. Op feestjes neem ik een biertje, maar zodra ik mijn wangen ook maar een beetje voel gloeien, stop ik. Veel kinderen zijn grenzeloze, stomme idioten als ze drinken, maar ik niet. Ik denk dat we daar allebei tevreden mee mogen zijn. En het is maar dat je het weet: met mij gaat het oké en met Perry ook. En met Rosie gaat het prima, maar dat wist je misschien al.

Ik kauw op de pen, denk na.

Ik hoop dat je ook nog wat tijd hebt om te genieten van de goeie dingen die de gevangenis misschien ook te bieden heeft.
Hou je taai,
Skate

Frank geeft een brul alsof hij gek is geworden. 'Ik moet dat klereding helemaal uit elkaar halen. Helemaal!'

'Relax. Zo erg is het niet om even de baan op te lopen en het poortje met de hand te openen.'

'Lovely Dude, luister nou,' zegt Frank, terwijl hij met zijn moersleutel zwaait en zichzelf vreselijk zit op te winden. 'Die ballen horen gewoon naar beneden te denderen als je er een kwartje in gooit.'

Ik schud mijn hoofd. Wat is die Frank toch een perfectionist. Hij zucht diep en sjokt op me af. Ik lees mijn brief over, scheur de deksel van de pizzadoos en stop die in mijn rugzak.

'Hé! Ik wou die andere pizzapunten morgenochtend bij het ontbijt opeten en nu drogen ze uit.' Hij staat zo dicht bij me dat ik hem kan ruiken, een warme, olieachtige, maar niet onaangename geur.

'Ooit wel eens van vershoudfolie gehoord, Frank?'

'Makkelijk praten! Ik heb geen vershoudfolie.'

'Ga dan naar de supermarkt.'

'Welja, nu moet ik ook nog zelf naar de supermarkt!' zegt hij, terwijl hij zijn handen in de lucht gooit. 'Kom nou...'

'Sorry, Frank. Ik had geen papier en moest iets opschrijven.'

'Mevrouw de professor!' zegt hij.

'Ga naar de supermarkt, daar ga je niet dood aan,' zeg ik en ik rits mijn rugzak dicht.

'Ga de gootsteen boenen, daar ga je ook niet dood aan.'

Ik zwaai. 'Tot donderdag.'

Buiten het seizoen zie je maar weinig toeristen en de meeste tenten op de promenade zijn uitgestorven. Ik koop een stuk fudge bij de snoep-kraam van Jill, een meisje dat suf uit haar ogen kijkt en een gebloemde hoofddoek en grote ringen in haar oren heeft, en die bij Amerikaanse literatuur bij mij in de klas zit. Terwijl ik haar met kleingeld betaal, brengt ze me op de hoogte van wat ik op school heb gemist over *De rode letter*. 'Als je straks bij me langskomt, Skate, kun je mijn aantekeningen overnemen. Ik ben hier over, eh, tien minuten klaar.' Ze stopt haar hand in een trommel en propt snel een bonbon in haar mond.

'Nee, ik moet zo ergens naartoe,' zeg ik tegen haar. 'Maar bedankt. Ik schrijf ze op school wel over.' In de wind sta ik mijn stuk fudge op te eten en mijn haren en vingers worden plakkerig van de chocolade. Daarna stap ik op mijn board en rij weg. Het is donker en de kou voelt lekker in mijn gezicht. Ik rij langs de zee en neem een weggetje binnendoor naar de baai, in de richting van Julia's huis. Maar met de wind die in mijn gezicht slaat, bijtend koud, rem ik af en stop. Knipperend met mijn ogen kijk ik omhoog naar de straatlantaarns.

Ik wil niet naar Julia. Omdat ik weer tegen haar zou liegen. Als ik nog een nacht met Perry wil doorbrengen, zin krijg om bij hem te zijn, zou ik vast en zeker weer tegen haar liegen. Ik heb er alles voor over, ook al mag ik Julia ontzettend graag.

Dus sla ik af en rij mijn straat in, naar de ruïne, en glip via de zijdeur naar binnen. Ik hoor de tv in de woonkamer en zie de achterkanten van de hoofden van Angie en Rosie – die ouwe poetsfanaten. Via de achtertrap sluip ik naar mijn oude kamer. Ik zal Julia bellen en zeggen dat ik vannacht hier blijf. Daarna bel ik Perry weer.

Rosie

Tussen mijn wiskundehuiswerk door vlecht ik kleine plukjes van mijn haar. Ik heb een stuk of acht minivlechtjes met blauwe en gouden elastiekjes af wanneer Angie naar boven schreeuwt: 'Rosie, telefoon!' Ik ren naar beneden en vraag me af of het Skate is. Ze heeft hier de afgelopen paar nachten geslapen, maar ze komt laat thuis en vertrekt weer vroeg, dus heb ik haar niet veel gezien.

'Een jongen,' zegt Angie geluidsloos, en ze geeft me de telefoon. Gus!

'Hallo,' zeg ik. Mijn hart bonkt in mijn keel.

'Rosie? Met Nick hier, je weet wel, van de praatgroep. Hoor eens, mag ik je wat vragen? … Zou je naar me toe willen komen, naar de baai bij Cove Road? Is dat oké?'

'O,' zeg ik terwijl ik frummel aan mijn vlechtjes. 'Bedoel je nu?'

'Als je niet kunt…'

'Ik kan wel. Ik kom eraan.'

Ergens wil ik niet weg, omdat ik hoopte dat Skate vanavond wat eerder zou opduiken. Maar ik trek mijn spijkerjack aan en sla een zachte, paars-rode sjaal om mijn nek. Vanavond is de bijtende kou van de winter al voelbaar. Ik stap op mijn fiets en rij naar Cove Road, een afgezonderd gedeelte van de baai dat tussen hoge lisdodden ligt. Op de een of andere manier weet ik dat ik Nicks dronken vader te zien zal krijgen.

Nick zit met een deken en een kussen op de steiger, en zijn vader ligt in katzwijm op het zand. Plat op zijn rug. De wind maakt ribbeltjes op het wateroppervlak. Nick kijkt op en zegt: 'Hai.'

De steiger is oud en verrot en hobbelt onder mijn billen. Ik strek mijn benen voor me uit en kijk ernaar. Ik geloof niet dat ik ooit een gesprek onder vier ogen met Nick Galina heb gevoerd.

'Wat ik wou zeggen,' zegt hij terwijl hij zijn haar uit zijn ogen veegt, 'is dat ik hem hier vannacht laat liggen. Maar het wordt koud. Daarom heb ik een deken en een kussen meegenomen.'

Ik knik.

'Het voelt raar om hem hier te laten liggen.'

'Dat zal vast wel,' zeg ik.

'Het kussen is te veel van het goede, hè?'

'Misschien wel.'

'Hij is geen verschrikkelijk mens of zo. Hij is best aardig als hij niet dronken is. Hij is een dubbelagent: papa overdag, zuipschuit 's nachts.'

'Heeft hij al eens in een afkickkliniek gezeten?'

'Vier keer. Heeft nooit geholpen.'

Ik vertel hem over mijn vader, vijf keer erin en eruit, en dat hij altijd weer begon te drinken. 'We zouden Gus kunnen bellen. We kunnen het hem vragen.' Ik sta op, voel me opgewonden dat ik een reden heb om Gus te bellen.

Nick schudt zijn hoofd. 'Ik weet wat Gus zal zeggen. Hij zal zeggen dat ik hem moet laten liggen waar hij is beland. Hij zal tegen een deken en een kussen zijn.'

Ik knik, omdat ik weet dat Gus dat inderdaad zou zeggen. Ik ga weer zitten.

'Kijk, hij heeft iets smerigs en stinkends op zijn been.' Nick loopt naar zijn vader en tilt zijn broekspijp omhoog. 'Zie je die troep?'

Ik loop naar hen toe en zelfs in het donker kan ik het nog zien. 'Dat stinkt echt.'

'Ik bedoel, ik wil niet dat het ontstoken raakt of zoiets.'

'Ik heb thuis betadine. Ik kan even snel naar huis rijden en...'

'Nee, Rosie, het is wel goed zo. Ik bedoel, ik moet hem toedekken, nietwaar? Die smerige troep toedekken.'

'Natuurlijk.'

'Maar Gus zou zeggen dat ik hem moet laten liggen. Hem hier moet laten liggen, precies zoals ik hem heb gevonden.'

'De deken, maar niet het kussen,' zeg ik. Ik sta versteld van mezelf. Ik zeg het alsof ik weet waarover ik het heb. Het enige wat ik weet, is wat Nick een beter gevoel zal geven.

'Goed dan.' Hij kijkt over het water en gaat dan weer op de steiger zitten. 'Ik was van plan jou of Sherry te bellen, die met die neusring. Ze lijkt me ook wel slim, maar ook een beetje verwaand. Ik wist dat jij niet verwaand zou zijn.'

'Jippie, ik ben niet verwaand!' roep ik blij en ik ga naast hem zitten.

Hij laat zijn ogen in mijn richting dwalen en lacht. Ik lach ook. Hij stopt zijn haar achter zijn roze oor. 'Maar je zus,' zegt hij, 'die lijkt me wel wat verwaand.'

Ik denk erover na. 'Dat kan ze soms zijn, een klein beetje misschien. Maar meestal is ze gewoon zichzelf, en als je haar eenmaal goed kent, dan is ze, eh, écht.'

'Ik heb haar vroeger soms wel eens samen met Perry Brockner op de promenade gezien. In de zomer. Ik werk bij de kinderachtbaan op Pier 1.'

Ik knik. 'Hoezo lijk ik slim?'

'Je bent gewoon aardig en rustig. Als ik bij de bijeenkomsten naar je kijk, kan ik gewoon zien dat je nadenkt. Ik zie je radertjes draaien. Je bent niet zo'n giechelende dombo als Maureen Willy.' Hij imiteert haar hoge, schrille lach. 'Ik haat dat.'

'Je vindt me serieus?'

Hij knikt. 'Ik ben serieus.'

Ik verbeeld me dat mijn hersenen vonkjes afvuren: de radertjes en hefboompjes bewegen als een gek. Wolkjes rook komen uit mijn oren.

'Maar het is toch ook fijn om zorgeloos te zijn?' zeg ik, terwijl ik mijn benen strek en ermee wiebel. 'Om te lachen en lol te hebben...'

Nick kijkt naar het zand. 'Nou ja, ik lach wel.'

'Ik weet het,' zeg ik snel.

Het is hier stil. De enige geluiden komen van het water dat tegen de oever klotst, de ruisende lisdodden en het zachte gesnurk van Nicks vader. Nick gaat staan en wappert de blauwe deken open. Met één snelle beweging dekt hij zijn snurkende vader met de deken toe. 'Oké,' zegt hij.

'Goed,' zeg ik.

Ik pak mijn fiets en samen lopen we over straat weg. Nick kijkt achterom naar zijn slapende, dronken vader en schudt zijn hoofd. 'Ik vind het bijna ongelofelijk wat die man doet. Ik ben het echt hartstikke spuugzat.'

Als we nog maar een klein stukje verderop zijn, wijst Nick voor zich uit. 'Daar woon ik.' Het huis is klein en heeft een mooie veranda die vol fietsen en surfplanken staat. Alle ramen zijn verlicht. Op het erf ligt een roeiboot op zijn kop op de stenen. Een meisje op sloffen en met een korte dikke paardenstaart sleept de rolcontainer naar de straat. Ze heeft dezelfde lange benen als Nick. 'Laten we hem daar of niet?' vraagt ze.

'We laten hem daar.' Als het meisje terug naar huis loopt, voegt Nick eraan toe: 'Mijn zus.'

'Waar is je moeder?' vraag ik, en ik begin onmiddellijk te blozen. Misschien gaat me dat niks aan.

'Gescheiden,' zegt hij.

'Heb je zin in warme chocolademelk?' vraag ik. 'Ik kan wel wat maken.'

'Beter van niet. Ik moet verdomme nog een heel hoofdstuk voor geschiedenis lezen.' Nick kijkt naar zijn schoenen en zijn haar valt voor zijn gezicht. 'Maar bedankt dat je bent gekomen, Rosie.'

Ik ben net opgestapt om naar huis te fietsen als ik 'Wacht!' hoor.

Nick rent me achterna. 'Ik ga mee,' zegt hij terwijl ik afrem. 'Ik fiets wel.' Nick propt het kussen in het mandje en ik spring bij hem achterop, armen om hem heen geslagen. Ik voel zijn heupbotten en al zijn werkende spieren terwijl hij op de pedalen trapt. Hij is mager maar sterk. Zo rijden we naar de zee, naar mijn huis. Terwijl ik mijn fiets in het schuurtje zet, blijft Nick met zijn armen om het kussen geslagen bij de keukendeur staan.

Binnen ga ik aan de slag met de chocolademelk, loop door de keuken, open kasten en zet cacaopoeder, suiker en vanille op een rij. Vroeger maakte ik warme chocolademelk gewoon van Nesquick, maar Angie heeft me geleerd hoe ik zelf onwijs lekkere chocomel kan maken. Ze steekt haar hoofd om de hoek van de keukendeur en ik stel Nick aan haar voor. Achter zijn rug beweegt Angie twee vingers als een schaar, alsof ze zijn haar wil knippen. Ik zet even grote ogen op, oftewel: waag het niet er ook maar iets van te zeggen. 'Welterusten, jongens,' zegt ze en ze lacht even naar ons. Daarna hoor ik haar de trap op lopen.

Ik steek de kaars in de pompoen aan die Angie heeft uitgesneden. Hij heeft een grote, idiote glimlach en driehoekige ogen met wimpers. Nadat ik de warme melk heb opgeschonken, knip ik het licht uit en wordt de keuken alleen nog verlicht door de gloed van de pompoenlamp. We kunnen door het raam de maan zien. Het is een raar gevoel om in de keuken te zitten met deze jongen van mijn school, een jongen met geheimen net als ik. Ik blijf met mijn hoofd boven mijn dampende mok hangen.

'Wat vind jij van die bijeenkomsten, Rosie?'

'Het voelt minder alleen… als ik erheen ga.'

'Ik vind het bevrijdend. "Laat je bezopen vader maar in het zand liggen!" Wie had dat ooit gedacht? Maar van al dat geouwehoer over God word ik helemaal gestoord.' Nick neemt een slok. 'Super,' zegt hij en hij likt aan de spuitslagroom. 'Ik geloof nu eenmaal niet in God.' Hij slurpt uit zijn mok en houdt er een chocomelsnorretje aan over.

'Ook niet een klein beetje?' vraag ik.

'Nee, echt helemaal niet,' zegt Nick met een serieuze gezichtsuitdrukking. 'Ik geloof gewoon nergens in. Maar ik kijk er ook niet op neer. Ik zie mezelf als een vriendelijke atheïst.'

Ik geloof niet dat ik een atheïst zou kunnen zijn. De wereld is zo ontzettend groot, en ik kan me moeilijk voorstellen dat iets of iemand dat niet heeft uitgevonden. Ik geloof in God als ik 's morgens vroeg op mijn fiets over de promenade rij en de zon boven de oceaan schittert en het water laat fonkelen. Of als ik uit mijn slaapkamerraam hang en naar de maan boven de zee staar. Dat vertel ik allemaal aan Nick. 'Ik vind het een prettige gedachte dat er iemand is die de dienst uitmaakt.'

Nicks stopt zijn haar achter zijn kleine oren. Ze worden diep donkerroze. 'Ik wou dat ik een of ander bewijs kon krijgen,' zegt hij.

'Ik heb ooit een keer gedacht dat mijn arm door een engel werd aangeraakt.' Zodra ik het heb gezegd, worden mijn wangen bloedheet.

'Echt waar?'

'Het stelt niets voor.' Ik schud mijn hoofd.

'Ik wil het graag horen.'

'Nee, dat wil je niet.'

'Kom op, Rosie,' zegt hij, alsof ik hem moet vertrouwen.

Dus vertel ik het hem, ook al heb ik het nog nooit aan iemand anders verteld. Een paar jaar geleden raakte mijn vader voor de zoveelste keer zijn baan kwijt en ging hij weer vreselijk aan de zuip. En dan rolde hij zich op de bank op met een fles Old Crow in zijn hand. Skate wilde het niet aan onze grootouders vertellen, die toen een tijdje in Florida zaten, omdat we dan weer per boot naar het vasteland zouden worden afgevoerd, naar die schrikachtige, oude mevrouw Feeley met haar stinkende, keffende honden. Dus hielden we onze mond en aten iedere avond gebakken aardappelen omdat we nog een grote zak van tweeënhalve kilo hadden staan. Skate gaf haar babysitgeld uit aan kaas en salsa en hamburgers. Ze jatte ook dingen, zoals tampons en tandpasta, omdat we die nodig hadden, maar dat vertel ik Nick niet. Ze is nooit gesnapt. Het was een afschuwelijke tijd, een koude winter, en we wachtten gewoon tot onze grootouders een maand later terug zouden komen. We aten dus aardappelen, Skate deed krengerig en mijn beste vriendin, Carrie, was ver weg verhuisd – naar Illinois, wat voor mij hetzelfde was als de maan. Het zag eruit alsof papa nooit meer van de bank af zou komen. Hij lag onder een quilt geborduurd met sterren, en dronk en sliep en murmelde in zichzelf. Op een ochtend lag ik in bed, had het ijskoud en voelde me net een steen. Ik zei: 'Help me.' Ik geloofde niet dat ik nog uit bed kon komen. 'Help me,' zei ik. Ik voelde een hand op mijn schouder. Ik laat Nick de plek zien en leg mijn vingers op precies dezelfde plaatsen waar ik me die aanraking herinner. 'Precies hier,' zeg ik. Nick kijkt naar mijn arm en knippert met zijn ogen. Ik weet dat ik door iets ben aangeraakt. Ik wist dat ik niet alleen was. Ik voelde me niet langer een steen, alleen maar een meisje dat ijskoud in bed lag. Ik kon onder de dekens vandaan kruipen.

Ik zie Nicks radertjes draaien. Hij kijkt omhoog naar het plafond. 'Tocht het hier in huis?'

'Ja. Maar het voelde niet als lucht, snap je? Het voelde echt als een hand.'

Nick knikt. 'Ik wil niet lullig doen, heus niet.'

'Het is oké.' Maar ik voel me stom dat ik hem dat allemaal heb verteld. 'Misschien had ik het nodig om dat te voelen, en heb ik het daarom verzonnen.'

'Wie weet?' zegt Nick. 'Maar wat me dwarszit, is dat als er een schepper is of zo, als er iemand de baas is, waarom doet die dan niets? Ik bedoel, waarom sterven er iedere dag soldaten en burgers in Irak, waarom worden in Darfur miljoenen mensen verkracht en uit hun dorpen verjaagd, waarom zijn…' Hij houdt op en krabt op zijn hoofd. 'Als er een schepper is, waarom schept hij dan al die ellende? Waarom?' Hij schuift zijn haar uit zijn gezicht. Zijn oren zijn bloedrood.

'Ik weet het gewoon niet,' zeg ik.

Nick rekt zich uit en ziet eruit alsof hij tevreden met zichzelf is. 'Ik wil alleen maar zeggen, ik wil alleen maar zeggen…'

'Ik denk dat als ik helemaal nergens meer in geloof, ik me als een mier zou voelen. En misschien ben ik wel een mier. Misschien zijn we allemaal niet meer dan mieren.'

'Ik ben geen mier, maar als jij er een wilt zijn…' zegt Nick met een glimlach.

'Als je me maar niet als een mier ziet, oké?' Ik glimlach ook.

'Dat doe ik helemaal niet. Je hebt absoluut niets weg van een mier. Niet met die vlechtjes in elk geval. Hiphopmieren bestaan niet.' Hij glimlacht en trekt snel zijn hoofd tussen zijn schouders. Zijn haar valt voor zijn gezicht en ik kan het niet meer zien.

Waarom geeft het me een goed gevoel dat ik helemaal niet op een mier lijk? Ik raak mijn vlechtjes aan.

'Hoe is het nu?' vraagt Nick. 'Ik bedoel voor je vader dat hij in de gevangenis zit? Als ik dat mag vragen.'

Op de eerste avond dat we naar de praatgroep gingen, vertelde Skate aan iedereen dat onze vader zat opgesloten. Gus vroeg haar hoe dat voor haar voelde en zij zei: 'Hij jatte van alles bij de drogist en draaide de bak in. Het was niet zijn eerste overtreding. Hoe denk je dat ik me voel?' Gus zei dat hij dat niet wist en vroeg haar het aan ons te vertellen. Maar ze staarde hem alleen maar aan alsof hij debiel was.

'Je hoeft het me niet te vertellen,' zei Nick.

Ik haal mijn schouders op. 'Het goeie van het feit dat hij opgesloten zit, is dat hij niet kan drinken. Misschien stopt hij er nu eindelijk, eindelijk mee.'

Nick knikt. 'Misschien zouden ze de mijne ook in de gevangenis moeten gooien.' We zitten daar onze warme chocolademelk te drinken en ineens begint Nick te lachen en ik ook. Ik weet niet waarom, maar we doen het.

'Skate wil niet bij hem op bezoek. Ik denk dat ze hem haat.'

'Haat je hem af en toe ook niet?'

Ik voel dat ik bloos. 'Nou ja, ik word woest en zo, maar nee, ik haat hem niet.'

'Ik haat mijn vader,' zegt Nick. 'Op dit moment haat ik hem echt.'

Maar je houdt ook van hem, wil ik zeggen. Ik zie in mijn hoofd weer dat Nick de blauwe deken openzwiept en over zijn snurkende vader legt. Nick zucht diep, alsof hij mijn gedachten kan lezen. Hij legt zijn handen tegen zijn achterhoofd: zijn t-shirt is nat in zijn oksels. 'Wat hebben we toch een hoop rotzooi te verhapstukken.'

Als Nick opstaat om naar de wc te gaan, trek ik zijn kussen naar me toe. Er zit een blauwgestreept sloop omheen. Ik leg mijn hoofd erop. Het is zacht en ruikt naar wasmiddel en nog wat anders, zoiets als de geur van warme huid in de kromming van je elleboog. Ik begraaf mijn neus in het kussen. Als ik hoor dat de wc wordt doorgetrokken, til ik snel mijn hoofd op.

'Bedankt voor alles,' zegt Nick. Hij pakt het kussen en geeft er een stomp tegen.

'Het is goed, wat je hebt gedaan.'

'Ik zie je op school,' zegt hij en hij glipt de deur uit. Hij komt terug. 'Bedankt, Rosie.'

Daarna is hij verdwenen. Ik loop de trap naar de tweede verdieping op en zet het raam in de rommelkamer aan de voorkant open. Ik ga op een bijzettafeltje zitten en kijk Nick na. Nick, de vriendelijke atheïst, die over straat loopt met een gestreept kussen onder zijn arm.

Skate

'Luister, Skate, word nou niet boos,' zegt Perry.

'Je waagt het niet!' Ik draai met mijn vingers aan het telefoonsnoer. Hij zou op dit moment in zijn Hyundai over de snelweg moeten zoeven, onderweg naar huis, naar mij. In plaats daarvan loopt hij over de campus naar het amfitheater, waar hij parttime werkt en kaartjes achter de kassa verkoopt.

'Luister nou, iemand heeft zich voor het weekend ziek gemeld en ik heb het geld nodig.'

'Dan hebben ze pech gehad, Perry. Zeg maar tegen ze dat ze iemand anders moeten zoeken.' Op de achtergrond hoor ik straatlawaai, een autoclaxon.

'Wat zeg je? Ik kan je bijna niet verstaan. Hoor eens, ik beloof je dat we elkaar gauw weer zien. Ik bel je later nog.' Een auto lijkt snorrend dichterbij te komen en dan klinkt de ingesprektoon.

Dit had ons weekend moeten zijn. Het hele weekend. Vanaf vanmorgen tot zonsondergang morgenavond. 'Hij laat me zitten,' zeg ik tegen Julia terwijl ze kleverige bordjes in de afwasmachine zet.

'Ach, Skate,' zegt ze en ze kijkt naar me op. Ze zet de afwasmachine aan en het lage gesuis van water is in de hele keuken te horen. 'Hij klaagt altijd over geld… Gaat het wel met je?' Ze knijpt in mijn schouder en we kijken allebei uit het raam waar het zonlicht op het water van de lagune glinstert. Ik knik, maar ik meen het niet. Een familie eenden zwemt langs – de moeder, denk ik, met een sliert pulletjes erachteraan. Perry en ik zouden het hele weekend met z'n tweetjes zijn.

Ik rij naar Lucky's, waar Frank achter de prijzenbalie een donut zit te eten. Hij draagt een honkbalpet van de Yankees, achterstevoren. Ik ga op de stoel naast hem zitten. 'Waarom dat gezicht?' vraagt hij. Ik vertel het hem en hij biedt me een hap van zijn chocoladedonut aan. 'Misschien heeft Brockner het daar te druk met iets anders.'

'Met íémand anders, bedoel je. Nee, hij heeft helemaal niemand anders.'

'Maar wat hij zegt, klinkt wel als een slap excuus. Wat ga je nu doen?'

'Ik ga naar hem toe.' Zodra ik het heb gezegd, weet ik dat het waar is. Ik ga naar Rutgers.

Frank speelt met een geel stuiterballetje op de balie. 'Niet slim, LD. Hou je gedeisd. Beantwoord zijn telefoontjes niet. Laat hem een beetje in de rats zitten.'

Ik leun zwaar op de balie. 'Wat is er toch met hem? Het lijkt wel of hij denkt dat hij onze relatie wel even in de wacht kan zetten of zo. Iedere keer als ik met hem praat, heeft hij haast omdat hij naar college moet, of naar zijn werk of naar wat dan ook. Het gaat altijd over hem. Maar wíj dan, en ík dan?' Ik pak de sleutels achter de balie en zet het waarzegapparaat aan. De lampen gaan aan en de pop beweegt haar stijve vingers over de bol voordat het kaartje eruit schiet. DOE WAT JE HART JE INGEEFT, staat erop. Ik stop het in mijn zak voordat Frank me vraagt of hij het mag zien.

'Mag ik je een advies geven?'

'Sorry, Frank, maar liever niet.'

Hij buigt zich naar me toe en zijn stoppelige wang schraapt langs mijn gezicht. 'Halsstarrig meisje.'

'Je kent hem niet zoals ik hem ken,' zeg ik en ik gris het stuiterballetje weg. Ik gooi het hard op de grond en het vliegt daarna bijna tegen het plafond.

'Blijf nou hier,' zingt Frank.

'Ik ga.' Ik pluk het balletje met een geweldige armzwaai uit de lucht.

Ik heb Perry vorig jaar ontmoet bij het fonteintje. Hij zat in de hoogste klas en ik in de tweede. Het was oktober, maar de dagen waren nog steeds lang en warm zoals in de zomer, en we zaten allemaal te zweten in het klaslokaal. En toen stond hij daar ineens, die knappe jongen – lang met zwart glanzend haar en de donkerste ogen die je maar kunt bedenken. Toen ik vooroverboog om wat water te drinken, hield hij mijn haar voor me vast. Dat deed hij niet om grappig te zijn of om te flirten. Hij deed het omdat hij zo aardig is. Daarna begon hij me in de hal gedag te zeggen, en soms stond hij 's morgens tussen het tweede en het derde uur tussen de gebouwen en moest ik wel langs hem lopen, en zijn zwarte haar zag er dan in het zonlicht bijna blauw uit. Als ik aan hem dacht en me afvroeg wat het voor jongen was, kreeg ik een zacht gevoel vanbinnen. Ik was helemaal niet gewend aan dat zachte gevoel waarin je lijkt te kunnen wegzinken als je dat wilt. Ik bleef hem tegenkomen. Hij leek die oktobermaand overal te zijn waar ik was.

Op een dag droeg ik na school mijn skateboard naar de weg en toen stond hij daar zomaar ineens naast me. 'Je blijft maar opduiken, hè?' zei ik, terwijl ik met tot spleetjes dichtgeknepen ogen tegen de zon in keek.

Hij keek me recht aan. 'Ik zou wel verkering met je willen, denk ik,' zei hij.

En toen voelde ik dat zachte gevoel weer, en dat vond ik niet fijn, dus vertelde ik hem dat ik ervandoor moest en stapte op mijn board en reed weg.

Maar ik moet je vertellen hoe ik me daarna voelde. Opgelucht, ja. Maar ook verpletterd, als een plastic zak onder een hard rijdende auto. Maar dát had ik helemaal niet verwacht te voelen. Hij was ge-woon een jongen uit de hoogste klas die niets van mij af wist of van mijn leven of mijn loser van een vader. Toch voelde ik me alsof ik iets aan mijn neus voorbij had laten gaan. Ik snapte er niets van.

De volgende dag deed hij na schooltijd weer een poging. O, wat vond ik hem te gek dat hij het nog een keer probeerde.

'Hallo, Skate.' Hij wist hoe ik heette! 'Ik ben Perry.'

Dat weet ik, wilde ik zeggen, maar ik glimlachte alleen maar.

Het is grappig hoe jongens soms met hun mond vol tanden kun-nen staan. Hij deed zijn mond open alsof hij nog wat wilde zeggen, maar toen bleef hij daar alleen maar met zijn handen in zijn zakken staan. Dus heb ik hem even uit de penarie gered. Ik rolde achteruit op mijn plank. 'Wil je nog steeds verkering met me?'

Hij knikte en keek over mijn schouder. 'Ja, nou en of.'

En toen stopte er een ouwe rammelkast van een Honda naast ons waarin zijn vrienden zaten. 'Hé, dude, kom je mee of blijf je kwek-ken?' vroeg een van hen. Ze hingen uit de raampjes, bekeken me van top tot teen en zaten ons te pesten.

'Ik moet nog even wat zeggen. Geef me nog een minuutje,' zei hij tegen hen en daarna tegen mij: 'We gaan naar een voetbalwedstrijd. Anders had ik graag met je doorgekletst.'

'We kunnen een andere keer kletsen.'

'Morgen wordt er een groot kampvuur gemaakt op het strand in de Heights. Ik hoop dat je dan komt.' En toen keek hij me recht in mijn ogen.

'Oké.'

Hij klom in die oude roestbak en toen reden ze weg. Het lawaai dat ze maakten, was tot ver achter de auto aan te horen. Jongens, jongens. Plagende, lachende, stoere jongens. Leuke jongens. Maar op de ach-terbank zat een ander soort jongen, eentje die zich niet aanstelde en niet zo'n dombo was als die anderen. Een jongen met een volmaakt gezicht en die gewoon, nou ja, áárdig was.

Ik neem in de middag een trein naar Rutgers. Het is donker en koud als ik daar aankom, de wind rukt aan mijn haar en zwiept het alle kanten op, zodat ik het met een elastiekje moet vastbinden. Ik rij op mijn board naar Perry's studentenhuis, en ergens wil ik hem niet eens zien. Wanneer een paar studenten naar buiten komen, glip ik naar binnen en klop op Perry's deur. Simon doet open en kijkt me knipperend met zijn ogen aan. Hij veegt langzaam zijn haren voor zijn ogen weg, als iemand die te veel tijd aan denken over zijn haar besteedt.

'Hallo, ik zoek Perry.'

Simon trekt rimpels in zijn voorhoofd. 'Is hij niet aan het werk?'

'Dat was hij, eerder vandaag,' zeg ik.

'Ben je van plan, eh, om hier op hem te wachten?' vraagt hij met zijn hand op de deurknop. Het is duidelijk dat hij me niet wil binnenlaten.

Ik knik, omdat ik geen zin heb om weer op de zitzak neer te ploffen.

'Ik moet zo weg,' zegt hij.

'Maakt niet uit.' Ik glip langs hem en ga op Perry's bed zitten. Simon bekijkt zijn haar in de spiegel, woelt het met zijn handen los, en kijkt naar zijn shirt. Hij trekt het uit en zoekt in zijn kast een schoon T-shirt. Hij heeft wat haren op zijn borst, niet zoals Perry. Hij vindt een blauw T-shirt met een palmboom erop, ruikt aan het andere shirt en stopt het in zijn waszak. Hij bekijkt zichzelf in de spiegel en woelt zijn haar weer los. 'Ziet er goed uit,' kan ik niet nalaten te zeggen. Zijn ogen schieten mijn kant op en hij kijkt me met een onwijs valse blik aan. Ik ga snel op Perry's bed zitten met mijn rug tegen de muur en mijn armen boven mijn hoofd.

'Zorg dat je de deur goed dichttrekt als je weggaat,' zegt hij terwijl hij zijn sleutels pakt.

'Komt goed,' zeg ik.

Hij staart me aan. 'Verwacht Perry je?'

'Ik ben zijn vriendin,' zeg ik zo vriendelijk mogelijk. Ik kruis mijn enkels en wilde dat Simon nou eens ophoepelde.

Simon stopt zijn portemonnee in zijn zak, trekt een spijkerjasje aan en zegt geen gedag, schenkt me in plaats daarvan alleen maar een glimlach alsof hij de bek van een platvis heeft, en vertrekt.

Daarna wacht ik. Ik lees een tijdje in *De bruiloft* van Carson McCullers. In de minikoelkast staat een pot druivenjam. Ik vind een snee brood en maak een sandwich voor mezelf. Ik laat het plakkerige jammes op Simons bureau liggen. Hoe heet dat meisje ook al weer dat boven woont? Ellie, geloof ik. Ik zou bij haar langs kunnen gaan – ze leek aardig – maar ik weet het niet. Er wordt op de deur geklopt en een lange jongen met een bos losse krullen op zijn kop komt binnen.

'Jij bent niet Simon,' zegt hij.

'Godzijdank niet.'

'Oei.' Hij leunt tegen de deurpost en houdt zijn hoofd scheef, bekijkt me. Hij is leuk op een slungelige, kakkerige manier. Zijn neus en wangen zitten vol sproeten.

'Ik ben Olivia,' zeg ik. 'Perry's vriendin.'

'Hallo, Olivia. Ik ben Johnny. Waar is Perry dan nu?'

'Hij komt zo.'

'En Simon is zeker vertrokken…'

Ik maak een wegwerpgebaar met mijn hand. 'De hort op.' Zijn ogen tasten mijn gezicht af. Ik vind dit deel altijd leuk: naar een jongen kijken die geniet van wat hij ziet. Ik laat hem kijken. 'Mag ik je mobieltje even lenen?' vraag ik.

'Ik zou niet weten waarom niet,' zegt hij.

Hij loopt de kamer in, geeft het me aan en gaat op de rand van Perry's bureau zitten.

'Dude, wat dacht je van wat privacy?' zeg ik.

'Oké, goed.' Hij loopt achteruit de kamer uit, terwijl hij de hele tijd naar me kijkt.

Ik doe de deur dicht en ga op de grond zitten. Perry's telefoon gaat één keer over en schakelt dan meteen door naar zijn voicemail. Waar zit-ie nou? Ik hang op en bel nog een keer. De tweede keer hetzelfde laken een pak, en als ik de piep hoor, kan ik mezelf er niet toe zetten om iets te zeggen. Ik bel Rosie.

'Waar zit je?' vraagt ze.

'Ergens. Vraag maar niks.'

'Ik kan niet lang praten. Ik heb een afspraak met Nick. We gaan een eind lopen.'

'Nick wie?'

'Van de praatgroep. Je weet wel, hij is die jongen…'

'Ga je nu ook al met dat soort mensen om?'

'"Dat soort mensen"? Zijn we niet zélf "dat soort mensen"? Nick is aardig. Je vindt hem vast leuk. Zit je op Rutgers?'

'Ja.'

'O, Skate, ik moet gaan. Nick zal…'

'Laat hem nog een minuutje wachten.'

'Is alles goed met je?' vraagt Rosie.

'Ach, ja,' zeg ik, terwijl ik om me heen naar de lege kamer kijk. Ik hoor Perry's wekker tikken en de koelkast hummen. 'Wil je niet nog even met me kletsen?'

'Wil jij niet meer zo laat thuiskomen? Ik zie je bijna nooit meer. Soms ben je hier wel, soms niet. Ik weet nooit waar je uithangt.'

'Rosie, rustig nou.'

'Heb je papa al geschreven?'

'Omdat je het zo graag wilt weten, ja, bemoeial.'

'Je hebt het gedaan! Dat is te gek, Skate. Heb je de brief al op de bus gedaan?'

'Nog niet, maar dat komt nog.'

'Ik kan hem ook versturen…'

'O-o-o, Rosie, wat ben je toch een zeurtrut. Ík doe hem op de post.'

'Weet Perry dat je daar bent?'

'Ja,' lieg ik. 'We zien elkaar zo.'

'Ik moet nu echt gaan, Skate. Beloof me dat ik je morgen zie.'

Ik beloof haar dat we elkaar morgen zullen zien.

Johnny blijkt in de gemeenschappelijke ruimte op de zitzak te zitten en solitaire te spelen. 'Hai,' zeg ik. 'Heb je zin om te kaarten?'

'Pokeren?'

Ik hou mijn hoofd scheef en kijk hem aan. 'Ik moet wel tegen je zeggen dat ik er heel erg goed in ben.' We besluiten het interessant te maken door voor stuivers en dubbeltjes te spelen. Johnny woont in het studentenhuis ernaast en wanneer hij met een mok vol kleingeld terugkomt, lopen we terug naar Perry's kamer en gaan op de grond zitten. De Ouwe Kraai heeft het Rosie en mij jaren geleden geleerd. Terwijl Johnny schudt, stort ik mijn portemonnee op de grond leeg en haal er de stuivers en dubbeltjes uit. Daarna spit ik in Perry's laden en kom met nog een dollar aan kleingeld op de proppen.

Ik ben goed op dreef. Een halfuur later heb ik het ene potje na het andere gewonnen, en het grootste deel van Johnny's spaarmok.

'Je hebt behoorlijk veel geluk.'

'Ja,' zeg ik en ik veeg mijn winst bij elkaar tot een bergje.

Hij keert zijn mok ondersteboven. Hij is bijna blut. 'Ik geloof dat ik er maar eens mee kap.' Hij ligt op de grond en kijkt naar me op.

'Je kunt er nu niet mee kappen,' zeg ik, terwijl ik naar de klok kijk en dan naar de deur. 'Kom op.'

'Wil je dan strippoker spelen?' vraagt hij met een glimlach.

Ha, ha! 'Wees voorzichtig met wat je wenst. Binnen de kortste keren sta je in je onderbroek voor me.' Hij heeft geen flauw idee van wat ik aanheb, zoals drie lagen bovenkleding. Bovendien win ik toch. Wat een lol!

Maar dan keren mijn kansen en wint hij het ene spelletje na het andere. Tussen ons in ligt een berg spullen van mij: sokken, gympen, teenring, sweatshirt, overhemd, riem, oorbellen. Ik heb alleen nog mijn spijkerbroek en mijn t-shirt aan, en eerlijk gezegd zou het me wel bevallen als Perry nu zou binnenwandelen en ons zo zou zien zitten. Net goed! Alleen komt hij niet binnen en verlies ik nog een potje.

Johnny glimlacht heel traag. 'Sorry, waarde vriendin,' zegt hij.

Ik heb nog maar vijf dingen: mijn t-shirt, spijkerbroek, bh, onderbroek en kettinkje. Mijn kettinkje doe ik niet af, omdat Perry me dat voor Kerstmis heeft gegeven. Het is een klein zilveren hartje en ik draag het altijd. Ach, wat kan mij het schelen, ik bezorg Johnny wel even wat opwinding. Ik steek mijn handen onder mijn shirtje en haak mijn bh los. Het is mijn enige mooie bh – paars, van kant en glad. Ik schuif een schouderbandje over mijn arm naar beneden, dan het andere, en gooi de bh op de berg. 'En nu kap ík ermee.'

'Je kunt me nu niet laten zitten,' zegt hij.

'Jawel, hoor, en dat doe ik ook.'

Hij pakt mijn bh en raakt hem voorzichtig aan.

'Geef hier,' zeg ik, en ik gris hem uit zijn handen.

'Sorry,' zegt hij en hij laat hem los. 'Hij is sexy.'

'Vindt Perry ook,' zeg ik, terwijl ik hem strak blijf aankijken omdat ik niet wil dat zijn ogen over mijn tieten dwalen, ook al heb ik nog een t-shirt aan.

'Waar blijft je vriendje trouwens? Raar dat jij hier zit en hij er niet is.'

'Wat wil je daarmee zeggen?'

'Niets,' zegt hij. Hij leunt op zijn ellebogen en staart me aan.

'Nou…' Ik gaap. 'Ik ben gaar.' Ik zoek mijn spullen bij elkaar en begin mezelf weer te fatsoeneren. Maar de bh laat ik liggen, omdat ik die niet kan aantrekken zonder mijn t-shirt uit te doen.

'Zin in een biertje?'

'Nee, dank je.'

Johnny pakt mijn bh en aait er met zijn vingers over. Ik gris hem weer uit zijn handen en gooi hem op Perry's bed.

'Ik heb niet het gevoel dat Perry nog terugkomt,' zegt hij, terwijl hij mij in de gaten houdt. 'We kunnen wel wat rondhangen op mijn kamer.'

'Ik heb hem daarstraks gebeld,' lieg ik. 'Hij is alleen een beetje laat.'

Ik trek mijn overhemd weer aan en doe mijn broekriem om. Johnny blijft naar me kijken.

'Zit je op de middelbare school?'

'Wie weet?' hoor ik mezelf zeggen. God, wat klink ik stom! Waar is Perry? Waar is hij in hemelsnaam?

Johnny staat op, rekt zich uit, keurt me nog eens, en buigt zich dan dicht naar me toe. 'Je vriendje vermaakt zich kostelijk met een heleboel mensen…'

'Nou en? Dat doe ik ook.'

'Weet hij eigenlijk wel dat je hier bent?'

Ik voel dat mijn gezicht warm wordt, omdat ik weet dat Johnny weet dat Perry niet weet dat ik hier op zijn kamer zit.

'Stink er toch niet in, Olivia,' fluistert hij. Hij strijkt ter hoogte van mijn middel met zijn hand over mijn haar. 'Je bent heel bijzonder, weet je dat?'

'Denk je nou echt dat jij de eerste jongen bent die dat tegen me zegt?' Ik schuif bij hem vandaan, ga op Perry's bed zitten en trek mijn sokken en gympen aan.

'Dus je voelt je heel wat?' Hij gaat op de grond zitten en kijkt naar me op. 'Probeer je me dat te vertellen?'

'Ik vind dat je nu weg moet gaan.'

'Je vriendje zit helemaal niet op jóú te wachten, hè? Kom mee naar mijn kamer. Dan nemen we een biertje en praten we wat. Je kunt tegen hem zeggen dat je lang genoeg hebt gewacht.'

'Ga nou,' zeg ik. Maar ik lijk niet boos te kunnen worden en mijn stem klinkt zacht.

'Ik ga wel,' zegt hij, maar hij blijft waar hij is en gaat languit op de grond liggen. Hij tilt de onderkant van zijn shirt op en drumt met zijn vingers op zijn buik. 'Oo-livia,' zegt hij, rekt het uit.

'Wat bedoel je ermee dat Perry zich kostelijk met een heleboel mensen vermaakt?'

'Precies zoals ik het zeg.'

'Met wie?'

'Het moet moeilijk voor je zijn nu hij hier zit…'

'Bedoel je Gina?'

'Ik ken Gina wel,' zegt hij en hij glimlacht. 'Gi-naaa!'

'Ik geloof dat het tijd voor je wordt om op te krassen.' Ik doe de deur open.

'Jaloers?'

Ik schud mijn hoofd terwijl ik me haar donkere, glanzende haar herinner.

'Jij bent ook een lekker ding, Olivia,' fluistert hij, 'maar jij zit niet hier.'

'Ga weg.'

'Ik ben al weg.' Hij staat op, glimlacht en loopt achteruit de gang op. 'Ik zit hiernaast. Eén-nul-één. Mocht je van gedachten veranderen. Ik heb bier en wiet.'

Ik doe de deur dicht en op slot. Daarna ga ik achter Perry's bureau zitten en open de laden, stuk voor stuk, hoewel ik niet weet wat ik zoek. Ik graai bezeten naar papieren, dictaatcahiers, pennen, een scheermesje, een kam, een foto van mij terwijl ik op een duin een radslag maak, een rekenmachine, een stuk kaneelkauwgom. Kattebelletjes en telefoonnummers. Wiskundevergelijkingen, een groene knikker, een bierdop. Heel veel dingen. Niets.

Het is laat wanneer ik onder Perry's dekens kruip.

'Sta op.' Hij schudt me stevig heen en weer.

'Perry,' zeg ik, terwijl ik overeind spring.

'Hij is hier niet, stommerd. Sta op en verdwijn.' Simon knipt het licht aan. Hij staat daar met een meisje. Ze hebben flesjes bier bij zich. Het meisje schenkt me een van Simons vissenglimlachjes. Simon buigt zich naar me toe en rukt me omhoog. 'Ik heb de kamer vannacht. Je moet eruit.'

'Oké. Hou op met dat getrek.' Ik schuif mijn paarse bh onder Perry's kussen, pak mijn spullen en vertrek.

'Christus,' zegt Simon, die de deur dichtdoet. 'Waar haalt die meid het lef vandaan, hè?'

Het is halfvier 's morgens. Ik zit op de zitzak, wrijf mijn ogen uit en vraag me af wat ik moet doen. Ineens ben ik er heilig van overtuigd dat Perry naar huis en Little Mermaid is gegaan om mij op te zoeken, en als ik niet hierheen was gegaan, zouden we nu samen zijn.

Ik haast me naar het station, maar het is gesloten. De eerste trein van de dag gaat pas om vijf voor halfzes. Op straat is het helder en koud, en hier en daar staan plukjes studenten onder straatlantaarns. Ik dool rond tot ik een eettentje heb gevonden dat vol studenten zit die ontbijten of dineren: eieren op geroosterd brood of spaghetti of hamburgers. Ik ga aan de bar zitten en bestel warme chocolademelk en aardappelpuree met jus, en de serveerster is niet bepaald blij als ik met Johnny's stuivers en dubbeltjes betaal. Er klinken veel vrolijke geluiden om me heen: rammelende borden, gepraat, gelach. Aan één tafeltje zitten een jongen en een meisje te vrijen, aan een ander zit een groep jongens dicht naar elkaar toe gebogen en een van hen fluistert iets. In een box vlecht een meisje het haar van een ander meisje. Tegenover hen zit een meisje te gapen. Ze doet dat beschaafd, glimlacht en kijkt om zich heen. Terwijl ik daar zit te kauwen en te kijken en te luisteren, denk ik dat Perry misschien helemaal niet in Little Mermaid is, maar hier ergens bij iemand de nacht doorbrengt.

Terug in Little Mermaid rijd ik op mijn board langs Julia's huis. Geen Hyundai. Geen Perry. Ik rij naar het strand en ga boven op een duin zitten. De ochtendzon is stralend, schijnt zo fel op de golven dat ik mijn ogen tot spleetjes moet knijpen. Dit – dit allemaal – is mijn thuis. Dit is ook Perry's thuis. Rutgers is een tussenstop, maar het is niet thuis. Ik weet dat hij dat weet. Ik loop over het strand naar huis en loop de trap op naar mijn kamer.

Rosie

Op Halloween drukt bijna iedereen van de groep zijn snor, inclusief Skate, die niet op andere gedachten was te brengen. 'Ik heb een ander plan,' zei ze.

'Wat voor plan?' vroeg ik streng.

'Om niet te gaan,' zei ze, terwijl ze snaaks glimlachte. 'Misschien ga ik wel naar Frank.' Ze ritste haar sweater dicht en reed weg op haar skateboard. Er is iets met haar en Perry aan de hand. Hij blijft haar bellen en zij blijft doen alsof ze niet thuis is – dat wil zeggen, áls ze thuis is. Meestal weet ik verdorie niet eens waar ze is.

Dus zijn alleen mijn persoontje, Gus en Nick er, en een dienblad met cakejes, die Gus speciaal voor vandaag heeft gebakken en met oranje glazuur en Halloween-zuurtjes heeft versierd. Gus heeft een muts op waaraan twee verende antennes met vliegenogen vastzitten. Dat geeft me een reden om naar hem te glimlachen: hij ziet er zo lachwekkend koddig uit. Die gozer kan zich prima vermaken. Skate ziet het gewoon verkeerd.

Nick vertelt over de laatste ontwikkelingen in verband met zijn vader. De laatste tijd lukt het zijn vader bijna iedere avond om naar zijn eigen bed te gaan en soms belandt hij op de bank. Hij slaapt nauwelijks nog op het strand. Maar vanmorgen vond Nick hem op de keukenvloer.

'En wat heb je toen gedaan?' vraagt Gus.

'Ik heb hem daar laten liggen, zoals jij altijd zegt. Ik ben over hem heen gestapt en heb ontbijt voor mezelf klaargemaakt.'

'Kijk eens aan!' zegt Gus. Nick haalt zijn schouders op.

Gus kijkt naar mij en ik voel mijn gezicht warm worden. 'Jij bent altijd zo stilletjes, Rosie. Hoe is het met jou?'

'Goed, hoor.'

Hij wacht, glimlacht naar me.

'Ik wou alleen dat mijn zus hier was.'

'Misschien kom ze wel weer opdagen. Geef haar de tijd.'

Ik schud mijn hoofd. 'Ze wil niets met papa te maken hebben. Ze vergeeft het hem nooit.'

'Misschien is ze gewoon nog niet zover,' zegt Nick.

'Ze zal nooit zover komen…'

'Vergeef jij het hem?' vraagt Gus.

'Het klinkt misschien raar,' zeg ik, terwijl ik mijn rok met mijn handpalmen gladstrijk. 'Maar misschien is het wel het beste dat hij naar de gevangenis is gegaan. Hij zit daar vast, hij kan niet drinken. Deze keer moet hij wel orde op zaken stellen. Denk je ook niet?'

'Zou kunnen,' zegt Gus. 'Maar jij hoeft niet alle problemen op te lossen, Rosie. Laat Skate doen wat ze moet doen, en je vader ook.'

'Dat kán ik niet.'

'Je kunt het in elk geval proberen,' zegt hij, terwijl hij zich naar me toe buigt.

'Maar ik denk niet dat ik het kan…'

'Doe het stapje voor stapje. Kleine ieniemieniestapjes.' Gus houdt twee vingers twee centimeter van elkaar. 'Smeek je zus volgende week niet om mee te gaan. Zeg alleen gedag en loop de deur uit.'

'Maar dan komt ze niet!'

'Ze komt niet als jij zo je best doet!'

'Dat weet ik wel!' Dan moet ik lachen en denk erover na. 'Dat is zo ontzettend waar.' Ik pak een cakeje, prik mijn vinger door het glazuur en lik hem af.

Nick werpt me een sluwe blik toe, leunt achterover op zijn stoel en vouwt zijn handen achter zijn hoofd. 'Gus, dude, word je nou nooit moe van het luisteren naar ons? Naar al die ellende?'

'Het is goed om uit die ellende wijs te worden.'

Nick fronst zijn wenkbrauwen en haakt zijn haar achter zijn oren. 'Zullen we wel echt ooit wijs worden uit die ellende?'

Ik haal mijn schouders op en pel het papiertje van mijn cakeje af. Gus kantelt zijn hoofd van links naar rechts, waardoor zijn belachelijke antennes heen en weer wiebelen. 'Misschien wel, misschien niet,' zegt hij.

'Oké, krijg het rambam,' zeg ik. 'Volgende week zeg ik alleen gedag en loop de deur uit.' Ze kijken me allebei verbaasd aan.

Even later loopt Gus met ons mee naar buiten en stapt in zijn aftandse auto. Ik vraag me af wat hij gaat doen, nu het Halloween is en zo. Nick en ik stappen op onze fietsen. 'Heb je zin om met mij mee te gaan en snoep uit te delen?' vraag ik.

'Ik weet iets beters. Er is een feest in de Heights. Ga je mee?'

Een feest! Wat een megagaaf idee – een feest! 'Ja,' flap ik eruit voordat ik de tijd heb om het mezelf uit mijn hoofd te praten. Boven ons aan de hemel staat een perfecte Halloweenmaan, vol en helder. 'Maar we hebben helemaal geen kostuums.'

'Bij ons op zolder liggen genoeg spullen. Ik kan vast wel een punthoed of zoiets voor je opdiepen.'

'Hé, bedoel je daar soms iets mee?'

'Je bent hartstikke aardig, Rosie,' zegt Nick, terwijl hij zijn hoofd buigt om zijn glimlach te verbergen. 'Totaal niet hekserig.'

Dus rijden we op de fiets naar Nicks huis en gaan naar binnen via de zijdeur. Zijn zus Amy staat bij het fornuis popcorn te maken. Ik bel Angie en ze zegt: 'Een feestje, hm? Dat is leuk, Ro.' Maar ik weet zeker dat ze me zal gaan missen, omdat ik niet bij haar ben om lolly's en Milky Ways uit te delen.

Nick gebaart met zijn hoofd naar de woonkamer, waar zijn vader languit op de bank naar de tv ligt te kijken. 'Ik ben zo snel mogelijk terug,' zegt hij tegen mij en hij vliegt de trap op.

Amy verbrandt haar vingers zowat als ze de hete alufolie van de popcornpan openpelt en geeft een gil. 'Au!' schreeuwt ze. 'Hier. Neem wat.' Tussen de warme, gepofte korrels zoek ik er met mijn vingers een paar uit en leg ze op mijn tong. Ze sissen.

Nicks vader komt van de bank af. 'Kom mee naar boven,' fluistert Amy in mijn oor. Maar voordat ik kan reageren, is ze al met de popcorn de trap op gehold en komt haar vader langzaam op me af. Hij wrijft met een hand over zijn rode, wezenloze gezicht. 'Een meisje in de keuken,' zegt hij met een donderstem.

Ik til mijn hand op om gedag te zeggen. Hij draait de kraan open en kijkt naar het stromende water. Hij maakt zijn vingers nat en droogt ze daarna langzaam met een papieren handdoekje af. Ik zie ineens een fles halfverstopt achter de magnetron staan. Die wil hij hebben. Maar hij zal niets drinken waar ik bij ben. Dat weet ik.

'En hoe heet je?'

'Angie,' zeg ik zonder hem aan te kijken.

'Hoe is het met je, meisje Angie? Voor welk kind ben je hier?'

'Voor Nick.'

'Goed joch, die Nicky. Maar doe me een plezier,' zegt hij, terwijl hij zich naar me toe buigt en met een krankzinnige grijns al zijn tanden laat zien. 'Zeg tegen hem dat hij nou eens naar de kapper moet. Jongens die er als meisjes uitzien. Knip het verdomme af!'

Ik schenk hem een flauw glimlachje.

'Een meisje in de keuken,' zegt hij weer, maar nu met een monotone stem. Hij haalt een fles bier uit de koelkast, zet hem op het aanrecht en staart ernaar alsof hij hem een vraag wil stellen. Dan lijkt hij de fles te zijn vergeten en loopt terug naar de woonkamer, waar hij tegen een bijzettafeltje botst. De lamp erop wiebelt en het licht begint te flakkeren. Met een afkeurend gegrom ploft Nicks vader op de bank neer.

Nick komt de trap afgevlogen en geeft me een lange zwarte cape en een heksenhoed, met aan de punt een bungelend plastic vleermuisje. Voor hemzelf heeft hij een beulsmasker, zwaard en cape meegenomen. Hij tekent met een zwart oogpotlood op mijn wang. Hij is zo dichtbij dat ik kan zien dat zijn lichtbruine ogen de kleur van karamel hebben.

'Wat teken je?' Hij sleept me mee naar het chroom van de koelkast, waar ik een spinnetje op mijn wang zie. 'Perfect!' zeg ik, ineens in een feeststemming.

'Kom mee,' zegt Nick en hij loopt fluitend het huis uit. Ik gris de fles bier van het aanrecht en verstop hem in mijn cape. We rijden naar het strand in de Heights en laten onze fietsen op het zand liggen. Uit een verlicht huis komt dreunende muziek. Ik haal de fles bier tevoorschijn, draai de dop eraf en geef hem Nick aan.

'Heb jíj dat gedaan?' zegt hij.

'Ja,' zeg ik triomfantelijk.

'Rosie, onze kleine dievegge,' zegt Nick en hij geeft me een speels zetje.

'Ach, krijg het rambam.'

'Moet je haar nou weer horen met haar krijg-het-rambam! Wat heb jij?' Ik haal verlegen maar blij mijn schouders op. Nick neemt een grote slok en geeft me de bierfles. Ik neem ook een grote slok. We drinken om de beurt tot de fles leeg is, en ik ben een beetje aangeschoten wanneer ik mijn hoed opzet en mijn cape aantrek.

Binnen dreunt de muziek door de kamers. Nick haalt voor ons allebei een schuimplastic bekertje bier en we dwalen door de propvolle kamers, nippend aan onze drankjes. Er is een sletterige non, een dokter genaamd dr. Pervers, een harige gorilla, een paar punksurfers, verschillende monsters, een tomaat die een joint rookt. Tegen een vensterbank leunen twee jongens van onze school: de ene verkleed als hamburger, de andere als hotdog. Op de voorveranda gaan we op het trappetje zitten en drinken en kijken naar iedereen.

'Laten we dansen,' zeg ik en ik knijp mijn lege bekertje plat.

'Neu-eh. Ik dans niet.'

'Kom op. Dat is leuk.' Nick kreunt als ik aan zijn arm trek.

We zigzaggen terug naar binnen, waar het nu donker is. Het enige licht komt van een paar kaarsen die op de vensterbanken staan. Er is nauwelijks ruimte als we ons tussen de dansers wurmen. O, wat voelt het goed om te dansen! Als ik snel ronddraai, vliegt het vleermuisje rond mijn hoofd. Ik glimlach naar Nick en hij slaat zijn ogen ten hemel, maar hij buigt zijn knieën en danst op de muziek van de Stones. Een meisje uit mijn biologieklas, verkleed als een haremmeisje, zwaait naar me en ik zwaai terug. Aan de andere kant van de kamer glimlachen een meisje en een jongen van de praatgroep naar ons.

Ik schud met mijn heupen naar links en rechts en Nick lacht. Met z'n allen zingen we: *'I said I know it's only rock 'n roll but I like it, like it, yes, I do!'*

O, wat voelt het toch goed om te dansen! Ik kijk in het flakkerende kaarslicht, voel de dreunende muziek die bonkt als een hart. Een jongen verkleed als haai steekt me met zijn vin. 'Sorry,' zegt hij, terwijl hij me om mijn as laat draaien, zijn gezicht blij en bezweet.

'Geen probleem,' schreeuw ik boven de muziek uit. Nick en ik gaan door met stoten en draaien, terwijl de muziek om ons heen alle kanten op ketst.

Nicks gezicht glimt van het zweet. 'Ik kan niet meer,' zegt hij. Hij gaat op de grond zitten met zijn rug tegen de muur.

'Laten we nog een biertje nemen,' zeg ik terwijl ik me naar hem vooroverbuig.

'Dat zou ik maar niet doen, dudette,' zegt hij.

Ik denk dat ik behoorlijk aangeschoten ben, en ik dans maar door, helemaal draaierig, tot mijn punthoed zo nat van het zweet is dat hij niet meer op mijn hoofd wil blijven staan. Ik zie Nick van de vloer naar me opkijken. Hij houdt zijn hoofd scheef, glimlacht vreselijk aardig naar me en steekt zijn hand uit om mijn wervelende cape aan te raken.

Uiteindelijk ga ik, buiten adem, naast hem op de grond zitten. 'Laten we een luchtje gaan scheppen,' zegt hij. We persen ons tussen de massa mensen door naar buiten en rennen naar de duinen, waar de kilheid als een klap in je gezicht voelt. Maar het voelt onwijs goed. Nick spreidt zijn cape uit op het zand en samen gaan we er op onze rug op liggen.

'Ik wou dat ik een sigaret had,' zegt hij.

'Rook je?'

'Alleen maar af en toe.'

'O, Nick, wat vies.'

'Ja, ik weet het.'

Ik staar naar de sterren en bedek er een paar met mijn uitgestrekte hand. 'Morgen weer naar school,' zeg ik.

'Rosie,' fluistert Nick. 'Heb je ooit gesekst?'

'Wát?' zeg ik.

'Ik vraag het alleen maar.'

'Ik vind het ongelofelijk dat je het me vraagt.'

'Niet boos worden,' zegt hij. 'Ik ben alleen maar nieuwsgierig, meer niet.'

'En jij?'

Hij schudt zijn hoofd. 'Nee. Maar ik zou er niets op tegen hebben.'

Eigenlijk wil ik alleen maar graag gekust worden, maar dat zeg ik niet. Waar ik aan denk, is een jongen die me in de ogen kijkt en ik in de zijne. Ik stel me voor dat het een teder en romantisch moment is, een moment in slow motion, waarin ik uiteindelijk mijn ogen neersla en hij me zachtjes op mijn lippen kust, telkens weer, en dan sla ik mijn ogen op en beantwoord zijn kus.

'Daarbinnen,' zegt Nick, gebarend met zijn duim, 'wie denk je dat het doen? Wat dacht je van de hamburger en de hotdog?'

'Met elkaar of met meisjes?'

'Hé, misschien zijn ze wel homo…' zegt Nick terwijl hij aan zijn kin krabt.

We besluiten dat John en Alan, de hamburger en de hotdog, het waarschijnlijk niet met meisjes of met elkaar doen. De sletterige non, de baby in luiers en de gorilla doen het waarschijnlijk ook niet. De punksurfers, de tomaat, Cleopatra en de sumoworstelaar – die wel. Maar, mijn god, hoe kun je ooit echt achter iets van een ander komen dat zo privé is? 'Nou, ik in elk geval niet,' zeg ik.

'Ik ook niet.'

'Dat heb je al gezegd.' Ik kijk hem aan en we lachen.

'Maar je was vanavond wel een beetje dronken,' zegt Nick.

'Nee, dat was ik niet.'

'Kom nou, je hebt al dat bier opgezopen.'

'Hou op, Nick.' Ik geef hem een mep. 'Dat is niet grappig.'

'Relax.'

'Ik haat het als iemand zegt dat ik moet relaxen.'

'O, wat een lange teentjes,' zegt hij, terwijl hij me kietelt. Ik giechel en duw zijn hand weg. 'Rosie, weet je dat je misschien best wel mooi bent?'

Ik voel dat ik glimlach en kijk naar mijn handen. Op dat moment vang ik een glimp op van mijn horloge. Middernacht. Nu al. 'Nick, ik moet naar huis.' Ik spring overeind en veeg het zand van mijn kleren.

Nick geeft me een zet. 'Als iemand tegen je zegt dat je mooi bent, hoor je "dank je wel" te zeggen.'

'Maar je zei "misschien".' Ik barst in lachen uit en sla mijn hand voor mijn mond. 'Ik kan niet geloven dat ik dat heb gezegd.'

Nick lacht en schudt zijn hoofd. 'Wat heb je toch vanavond?'

'Volle maan? Ik weet het niet,' zeg ik. Ik voel me blij. Ik weet alleen dat ik wil dansen en ik doe een rondedansje in het zand.

Nick raapt mijn fiets op en geeft hem me aan. 'Niet "misschien". Je bent gewoon mooi.' En zelfs in het donker zie ik hem blozen. Onze ogen ontmoeten elkaar. En ik herinner me hem zoals hij tegen de muur zat, naar me opkeek, glimlachte en zijn hand uitstak om mijn wervelende cape aan te raken.

'Dank je,' fluister ik en ik voel me ineens verlegen. Hij buigt zich over mijn fiets en geeft me vlug een kus op mijn lippen. Hij loopt snel met zijn fiets aan de hand naar de straat, springt erop en rijdt weg.

Skate

Frank heeft op dit moment geen vriendin, dus zit ik hier op zijn smoezelige bank. Ik slaap om de beurt bij Frank of bij Rosie en Angie, of zelfs bij Julia. Ik ben nog niet helemaal bij Julia weg, omdat ik haar mis. Ik mis het om met haar te praten en ik mis haar macaroni met kaas en die knapperige korst. Maar hoe vreemder de toestand met Perry wordt, des te minder zin ik heb om bij Julia te zijn. Bovendien wil ik niet meer tegen haar hoeven liegen. Angie denkt dat als ik niet thuis ben, ik bij Julia ben. Ik laat haar maar in die waan. Ik hou er niet van om voortdurend te verkassen, maar wat moet ik anders?

Soms wil ik het liefst thuisblijven, in mijn eigen kamer, maar Rosie kan zo'n zeurtrut zijn, ze zit me voortdurend op mijn nek. Frank is makkelijk. En zijn huis is niet al te beroerd. Zijn bank is een grote, heerlijke wegzakbank en ik wil wedden dat hij er met tig meisjes op heeft zitten of liggen vrijen. Hij heeft meisjes aan het huilen gebracht. Sommigen heb ik met natte gezichten en gezwollen ogen gezien. En ik heb ze tegen Frank horen schreeuwen. Als dat gebeurt, lijkt hij minstens een hele maat te krimpen. Hij kan dan niet snel genoeg van die snotterende meiden afkomen. Hij is toch zo'n hartenbreker, die Frank.

De eerste nacht legde Frank lakens op de bank en gaf me een zachte blauwe deken. Hij zei dat ik van zijn bier moest afblijven, dat hij er absoluut geen trek in had dat een minderjarige bij hem thuis aan de alcohol zat. Alsof ik zijn bier zou lusten. 'Relax, man,' zei ik tegen hem.

Vanavond heeft Frank een joggingbroek en een smerig t-shirt aan en er steekt een tandenborstel uit zijn mond. 'Dus morgen zie je je vriendje,' zegt hij met een mond vol schuim.

'Ja,' zeg ik met een zucht.

Frank zwaait met de tandenborstel naar me en zegt: 'Wedden dat hij het fantastisch zal vinden dat je hier zit.' Hij spuugt in de gootsteen.

'Hij hoeft het niet te weten, Frank.' Ik glip onder de zachte blauwe deken.

Frank grijpt mijn voet onder de deken vast en knijpt erin. 'Welterusten, LD.'

'Welterusten.'

Frank stapt zijn slaapkamer in en ik hoor dat hij zijn tandenborstel op het nachtkastje laat vallen. De matras piept wanneer hij in bed klimt.

Dit is er gebeurd: Perry hoorde van Simon dat ik daar op hem had zitten wachten. De hele week heeft Perry gebeld en boodschappen achtergelaten bij Julia, Rosie en Angie, en hij heeft zelfs de speelhal gebeld en met Frank gesproken. Maar ik heb hem niet teruggebeld. Ik liet hem eindeloos bellen voordat ik uiteindelijk mijn mond tegen hem opendeed.

'Ik kom zaterdagochtend naar huis. Ik moet je zien,' zei hij tegen me.

'Prima, oké.'

Hij bleef maar zeggen: 'Jezus, Skate, waarom heb je me niet gebeld? Ik wist niet dat je zou komen.' Omdat ik dacht dat jij wel zou opdagen, Perry. Ik zat op je kamer, waarin je geacht wordt te wonen. Maar wat ik zei, was: 'We praten wel verder als je hier bent.' Daarna hing ik op.

'Frank, slaap je al?'

'Ja,' roept hij terug.

'Frank, weet je wel dat je vreselijk veel meisjes verslijt?'

'Ga slapen.'

'Ik wil alleen maar weten waarom je dat doet.'

'Er zijn zo veel goeie dat ik niet kan kiezen.'

'Doe me een lol, zeg.'

'Ik hou van meisjes. Waarom dan niet?'

'Ga je met allemaal naar bed?'

'Bemoei je met je eigen zaken, LD.' Ik hoor hem gapen, een langzame, luie gaap.

'Kom op, Frank.'

'Ik vertel je niets meer.'

Vóór Perry ben ik met één andere jongen naar bed geweest. Het was een *benny* en over het algemeen moet ik niks van benny's hebben. Een benny is iemand die alleen in de zomer aan de kust komt en zich allerlei vervelende vrijheden permitteert. Ze rijden in megagrote suv's en veroorzaken opstoppingen, laten rustig hun lege boterhamzakjes op het strand liggen, reizen in grote groepen met veel schreeuwende vette varkens van kinderen. Het ergste is dat ze met zoveel zijn: ze maken een vreselijke bende van het dorp terwijl ze hier niet eens wonen. Maar Frank is dol op benny's. Waar zouden we zonder hen zijn, zegt hij vaak. Ze spekken de plaatselijke economie. Kassa! Maar goed, twee zomers geleden ontmoette ik zo'n benny. Een aantrekkelijke benny met witblond haar en een bruinverbrande neus. Zijn grootouders hadden een prachtig, groot, oud huis aan de baai gehuurd. We hingen rond en surften samen. We gingen naar de kleine bioscoop, rotzooiden met elkaar op de achterste rij en lebberden aan Italiaanse ijsjes. En met die benny – ik moet hem eigenlijk bij zijn naam noemen – met Chris ben ik voor het eerst helemaal uit de kleren gegaan.

Op een avond vond ik dat we er allebei aan toe waren, dus pakte ik zijn hand om hem via de achtertrap mee naar mijn slaapkamer te nemen. Toen we nog beneden stonden, hoorden we een harde klap en Chris wilde gaan kijken wat er was gebeurd, maar ik zei: 'Niks aan de hand, het is mijn vader maar. Hij is dronken.' Ik had dat nog nooit aan iemand verteld, maar omdat Chris een benny was, kon me dat niets schelen.

'O, dat ellendige broodrooster!' hoorden we de Ouwe Kraai jammeren. Chris haalde zijn schouders op en ik ook, en daarna liepen we de trap op naar de tweede verdieping, waar we tussen mijn gekreukelde lakens kropen. Het was een koele augustusnacht en ik zette het raam wijd open, waardoor de gordijnen boven onze hoofden wapperden. We konden de golven horen die op het strand sloegen.

'Heb je het al eens gedaan?' fluisterde ik terwijl hij mijn spijkerbroek uittrok.

'Niet in het echt.'

'Volgens mij is het antwoord "ja" of "nee".'

Hij begroef zijn gezicht in mijn nek en fluisterde: 'Ik heb het een keer geprobeerd, maar toen had ik, eh, opstartproblemen. En dat meisje werd ook nog chagrijnig.'

'Ik zal niet chagrijnig worden… ik bedoel, als je problemen hebt.'

'Dat is lief,' zei hij, terwijl hij me verlegen aankeek, zijn neus helemaal roze en vervellend. En toen deden we het. Het was pijnlijk en zo, maar toch was het fijn. Hij raakte me aan alsof hij zijn handen over iets kostbaars liet glijden. En ik vond het prettig dat hij languit tegen me aan lag, al die huid. Tot de eerste week van september hebben we het nog twee keer gedaan en toen vertrok hij weer. Hij heeft me één keer gebeld, maar zonder het surfen en het bioscoopje en het uitkleden tot je spiernaakt bent hadden we elkaar niet veel te vertellen. Die herfst ontmoette ik Perry bij het fonteintje. De zomer daarna heb ik Chris nog één keer met een ander meisje op het strand gezien. Ik was toen met Perry. We zwaaiden naar elkaar, maar voor mij was hij weer een benny geworden. Ik had Perry, en die vond ik in alle opzichten je van het. Ik was niet verliefd op Chris – dat weet ik nu, ook al vroeg ik me dat toen af, omdat ik hem heel graag mocht – maar ik was het niet.

Ik kruip van de bank af en ga in de deuropening van Franks slaapkamer staan. Ik hoor hem ademhalen en het klinkt fijn, heel gelijkmatig en slaperig. Ik wilde dat ik bij hem in bed kon kruipen, alleen maar om te slapen, alleen maar om een lichaam naast me te voelen. Dus ga ik naast hem liggen, maar ik kruip niet onder de dekens, want dat zou niet cool zijn. Ik luister naar zijn in- en uitademing. Een zieltje zonder zorg, die Frank.

Ik ben laat. Als ik binnenkom, zit Perry al aan zijn eieren. 'Hallo, vreemdeling,' zeg ik tegen hem terwijl Julia me een glas sinaasappelsap geeft.

'Kom eens bij me,' zegt Perry met zijn mond vol.

'Als ik zover ben.'

'Dan kom ik naar jou toe.'

Hij staat op uit zijn stoel, maar ik zeg: 'Ga zitten. Eet.' Ik omarm Julia. Ze kijkt ons allebei hoofdschuddend aan.

Ze heeft een feestontbijt klaargemaakt – eieren en muffins en bacon en gebakken aardappelen met tomaten. Ik ga in de stoel tegenover Perry zitten. Hij loopt om de tafel heen en geeft me een vluchtige kus op mijn hoofd. 'Waar zat je nou? Ik heb hierheen gebeld en naar je huis, maar je bent nooit ergens te vinden.'

'Nou nog mooier,' zeg ik, maar ik moet toch een beetje glimlachen: het is zo gaaf om Perry weer te zien. Echt waar!

'Oké, jongens: eerst eten, daarna ruziemaken,' zegt Julia. Ze eet yoghurt met verse aardbeien, maar kan het niet laten om van de knapperige aardappelen te snoepen. Buiten wordt er getoeterd. Julia kijkt op haar horloge en hapt naar adem. 'Dat is Hal.' Ze stopt nog een stuk aardappel in haar mond, pakt haar jas en rent met haar yoghurtbakje naar de voordeur. 'Ruimen jullie op?'

'Natuurlijk, mam,' zegt Perry.

Julia doet de deur open en zwaait. 'Hé, jongens,' zegt ze terwijl ze zich naar ons omdraait. Ze ziet eruit alsof ze nog iets wil zeggen, maar ze kijkt ons alleen maar vorsend aan. Ten slotte zegt ze: 'Ik ben blij dat jullie hier allebei zijn.' En daarna stuift ze de deur uit.

'O, Skate!' zegt Perry aanstellerig zodra ze weg is.

'Nog niet.' Perry staart me ongelukkig aan terwijl ik mijn bord vol schep. 'Eten!' zeg ik tegen hem.

'Wat ben je toch bazig,' zegt hij en hij pakt zijn vork weer op. Als we zijn uitgegeten, komt hij naar me toe en wurmt zich bij me op de stoel en kust me voor 't echie. Hij ruikt naar bacon en shampoo. Zijn haar is nog nat. 'Zo…' zegt hij.

'Laten we eerst opruimen.'

Perry rolt vermakelijk langzaam met zijn ogen, maar hij staat van tafel op en laat de gootsteen vol sop lopen terwijl ik de borden leegschraap. Daarna ga ik op het werkblad zitten en kijk toe terwijl hij afwast. Hij werkt langzaam en zorgvuldig en laat het water van de borden lopen voordat hij ze op het afdruiprek zet. Zijn haar is langer geworden en hij lijkt zelf ook wel ietsje langer, en hij draagt een verschoten blauw t-shirt dat ik niet ken. Wat ik het liefst wil, is achter hem gaan staan en mijn armen om hem heen slaan. Ik wil zijn hand pakken en hem meenemen naar zijn slaapkamer, en dat we ons dan helemaal uitkleden. Maar om de een of andere reden kan ik het niet. Als Perry klaar is met de koekenpan, draait hij zich om en gaat tegenover me staan, en we staren elkaar een hele tijd aan. Ten slotte neemt hij me mee naar de bank. Maar alles wat ik wilde zeggen, is in mijn binnenste door elkaar gehusseld, en ik zit daar alsof ik mijn tong heb verloren.

'Ik kan hier niet praten,' zeg ik. 'Laten we naar het strand gaan.' Ik stap op mijn board en rij weg, wacht zelfs niet tot hij zijn fiets uit de schuur heeft gehaald. Ik doe mijn gympen uit, ren over het zand en ga met mijn voeten in het steenkoude novemberwater staan. Het is zo koud dat het pijn doet en de wind zwiept mijn haren alle kanten op. Als ik me omdraai, jogt Perry op me af. Hij laat zijn gympen in het zand vallen en komt bij me staan. 'Getver!' roept hij als een golf tegen hem aan plenst. Hij rent het water uit en trekt mij met zich mee.

'Waarom kwam je die nacht helemaal niet opdagen?' vraag ik.

'Ik wist niet dat je op mijn kamer zat!' roept hij.

'Ik zat daar uren te wachten, maar je kwam helemaal niet. Simon gooide me er om een uur of halfvier uit.'

'Skate,' zegt Perry terwijl hij mijn arm vastpakt. Maar ik ruk me los. 'Simon had de kamer zaterdagnacht. Ik zat in de bibliotheek en daarna ben ik met een paar vrienden stromboli's gaan eten, daarna naar een feest geweest en ten slotte bij een vriend op het vloerkleed beland. Ik had geen idee dat je op mijn kamer zat. Waarom heb je me in hemelsnaam niet gebeld?'

'Waarom? Wil je echt weten waarom?'

'Ja. Waarom?'

'Ik heb je gebeld.' Ik draai me als een speer om en kijk hem recht aan. 'Maar ik kreeg je voicemail. Ik krijg altijd je voicemail. Soms bel je terug, maar meestal niet.' Hij slaat zijn ogen neer en ik geef hem een zet. 'Zakkenwasser. Je begint me te vergeten.'

'Niet waar.' Hij probeert me weer vast te pakken en samen belanden we in het zand, ik op zijn schoot. 'Hoor eens,' zegt hij, maar hij zegt daarna niets meer.

'Zeg het dan,' zeg ik.

'Mijn hoofd loopt om, Skate. Bijna de hele tijd.' En daarna vertelt hij me hoe het zit. Hij heeft altijd, altijd te veel te doen en niet genoeg tijd. Niet al zijn cijfers zijn goed. Hij wil vrienden maken en uitgaan en alles meemaken. En hij heeft ook nog een baantje dat uren in beslag neemt. Maar dan nog heeft hij nooit genoeg geld. En hij kan Julia niet om geld blijven vragen, zegt hij, niet met alles wat ze al voor zijn kamer, voor maaltijden en zijn collegegeld dokt. Dus moet hij minstens vijftien uur per week werken.

'Het klinkt alsof er in je leven geen plaats is voor mij.'

'Er móét plaats voor jou zijn.' Zijn ogen vullen zich met tranen.

'Hou je nog steeds van me, Perry?'

'Ja. Ik hou van je, Skate.'

We zitten daar een tijdje zonder iets te zeggen. Zijn hand glijdt onder mijn T-shirt. Zijn vingers voelen koud op mijn buik, maar even later worden ze warmer.

Het wordt uiteindelijk zowel een rare als een blije dag. We lopen over de promenade, glippen de kermis op, die in dit seizoen gesloten is, klimmen met een ladder in het kabelbaantje en gaan in een van de stoeltjes zitten, met onze benen bungelend boven het strand. We praten over van alles: over mijn school, zijn docenten, waar je de beste wiet kunt krijgen, over de Ouwe Kraai en of Julia met Hal zal trouwen, over die jongen van wie we weten dat zijn broer in Irak is omgekomen en dat we het elkaar aanraken zo missen. Als de zon zich tussen de wolken door laat zien, gaan we naar huis om onze wetsuits aan te trekken en te surfen. Maar de golven zijn wat tam, dus zitten we vooral op onze surfplanken terwijl het water tegen ons aan klotst. Perry laat zijn plank tegen de mijne botsen en als hij zijn hand uitsteekt, pak ik die vast. Laat in de middag storten we ons allebei op onze leerboeken aan de keukentafel in mijn huis – Rosie en Angie zijn op bezoek bij de Ouwe Kraai. Midden in een vergelijking kijkt Perry op en biedt aan om het volgend weekend naar huis te komen en dan samen met mij naar de gevangenis te gaan. 'Beloof niets wat je niet kunt waarmaken,' zeg ik.

Perry ziet er oprecht gekwetst uit en hij krijgt zelfs rode vlekken in zijn nek. 'Wat denk je wel niet van me?' zegt hij. We staren elkaar strak aan tot Perry zegt: 'Oké, ik kijk eerst hoe het van de week loopt.' Ik knik en haal mijn schouders op. Als Rosie en Angie thuiskomen, maken we met z'n vieren een grote, kleffe plaatlasagna klaar en eten die aan de keukentafel op. Het is leuk en Ro werkt me zelfs geen moment op mijn zenuwen.

Later, terug bij Perry thuis, liggen we naakt in zijn bed. We mogen eigenlijk niet samen in één bed slapen – Perry en ik – maar soms knijpt Julia een oogje dicht. Bovendien is ze met Hal op stap. Mijn hand ligt op Perry's borst en ik voel zijn hart snel en warm kloppen.

'Het spijt me dat ik zo'n waardeloos vriendje ben.'

'Ja, dude, je was de laatste tijd een behoorlijk waardeloos vriendje.'

'Maar ik kan wel wat ter verdediging aanvoeren,' zegt hij, en hij gaat rechtop zitten.

'Daar gaan we weer,' zeg ik, omdat ik bekaf ben van vandaag.

'Wat ik ter verdediging kan aanvoeren, is dat je me vijf keer per dag belt. Je laat altijd boodschappen achter, die ook nog eens heel lang zijn.'

'Hoor eens,' zeg ik, terwijl ik rechtop ga zitten. 'Ik praat gewoon een eind weg. Jij bent mijn beste vriend. Kun je niet gewoon alleen maar luisteren?'

Hij zucht. 'Oké, ik ben een zakkenwasser.' Hij laat zijn hoofd terug op het kussen ploffen.

Ik geef hem onder de dekens een trap.

Hij hangt daarna over de rand van het bed om in zijn plunjezak te zoeken. Hij gooit mijn mooie, paarse bh naar me toe. 'Gevonden onder mijn kussen. Ben je de goede fee?' Ik laat mijn vingers over het satijn glijden. 'Wat heb je uitgespookt?' vraagt hij met een eigenaardige stem.

'Ik heb in je bed geslapen. Wat denk je in hemelsnaam dat ik anders heb gedaan?' Ik herinner me weer dat Johnny de bh met zijn vingers aanraakte en ik laat hem meteen op de grond vallen.

We liggen daar zo een hele tijd, en ik ben bijna in slaap gevallen wanneer me iets te binnen schiet en ik ineens klaarwakker ben. 'Perry,' zeg ik terwijl ik aan zijn arm schudt.

'Wat is er?' vraagt hij heel slaperig en hij draait zich om, van mij af, en trekt zijn benen op.

'Word wakker.'

Hij kreunt.

'Je zei dat Simon die nacht de kamer had. Dat betekent dat jíj hem ook af en toe een nacht hebt. Maar je hebt me nog nooit uitgenodigd om te komen.'

Hij kreunt weer. 'Skate, je zit nog op de middelbare school. Wat moet ik anders? Je woont bij mijn móéder. Ze zal het nooit toestaan…'

Ik sta op het punt om tegen hem te zeggen dat ik eigenlijk niet meer bij Julia woon, maar iets weerhoudt me. 'Wat doe je dan als je de kamer voor jou alleen hebt?'

'Ik hou wilde orgies met naakte meisjes.'

'Geef antwoord.'

Hij kreunt weer. 'Luister, soms pak ik op zaterdagnachten mijn biezen, zodat Simon en zijn meisje-van-de-week de kamer kunnen gebruiken. Simon helpt mij met differentiaal- en integraalrekenen. Hij is een kei in wiskunde. Die afspraak hebben we gemaakt.' Ik denk daarover na. 'Ga slapen,' zegt Perry. Maar we liggen daar alleen maar en slapen niet. 'Die avond,' zegt hij na een tijdje, 'heb je toen met die griezel Johnny gepraat?'

'Zoiets ja. Hij was de enige die in de buurt was, Perry.'

'Hij is echt een griezel.'

'Simon is ook een griezel.'

'Hij is goed in wiskunde.'

'Maar die kei in wiskunde heeft me wel midden in de nacht de deur uit gezet.'

Perry geeft een klap op zijn kussen en zijn stem klinkt boos. 'Als je me had gebeld… als ik had geweten dat je op mijn kamer zat, zou dat nooit zijn gebeurd.'

'Als jij je verdomde telefoon had opgenomen zou dat nooit zijn gebeurd.'

'Kunnen we nou gaan slapen?'

'Ga je gang,' zeg ik. Maar ik voel dat hij klaarwakker naast me ligt. Het is een opluchting voor me als ik het portier van Julia's auto hoor. Ik trek snel ondergoed en een t-shirt aan en neem mijn kussen mee naar de logeerkamer, waar ik me in mijn eentje op de bank oprol.

Rosie

'Zo zijn jongens nu eenmaal,' zegt Angie terwijl ze kauwgom kauwt. We zitten in de lelijke grauwe bezoekruimte aan een van de lange tafels, en ik frummel in mijn broekzak aan mijn kwartjes. 'Wacht rustig af, hij draait wel weer bij.'

'Dat denk ik ook,' zeg ik. 'Maar het is wel raar, hè?'

Sinds dat kusje op het strand gedraagt Nick zich anders. Hij is nog steeds aardig en zo – gisteren na de lunch leunden we op school tegen de lockers en deelden een zak chips – maar gezellig samen een tijdje ergens rondhangen is er niet bij. Om drie uur is hij of nergens te bekennen, of hij zit terug in de bus naar het eiland met zijn neus in een boek. 'Tot later,' zegt hij als hij uit de bus springt op de halte waar hij moet uitstappen.

'Misschien heeft hij er spijt van dat hij me heeft gekust.'

'Daar geloof ik niks van,' zegt Angie grijnzend. 'Jongens hebben last van iets raars wat ook wel het nukken-gen wordt genoemd. Zijn nukken-gen draait op volle toeren. Doe net alsof alles in orde is en, geloof het of niet, maar dan komt het ook allemaal in orde. Hij heeft wat ruimte nodig, geef hem die dan maar.'

'Het was maar een minikusje…'

'Nukken-gen.'

'O jezus,' zeg ik hoofdschuddend. We lachen allebei. Ik moet toegeven dat ik het niet snap.

En terwijl we over Nick zitten te praten, komen al die mannen in hun oranje overalls binnen, maar mijn vader is er niet bij. Angie en ik kijken elkaar aan en daarna naar de deur. Een paar minuten gaat voorbij, maar hij verschijnt nog steeds niet. Ik kijk naar Angie.

'We gaan het uitzoeken,' zegt ze.

De bewaker trekt een enorme bos sleutels tevoorschijn om een stel dubbele deuren open te maken. Hij neemt ons mee naar een kleine, benauwde kamer met een metalen tafel en een paar stoelen. Hoog in de muur zit een raam met tralies. 'Wacht hier,' zegt hij.

Er is iets ergs gebeurd. Ik weet het zeker. Maar ik durf het niet hardop te zeggen. Ik ga zitten en veeg mijn zweethanden aan mijn knieën af en zeg een schietgebedje op: alstublieft, nee niet. Even later komt de gevangenisdirecteur binnen, een grote, zware man met een ruige snor die over zijn bovenlip hangt. Hij ploft neer op zijn stoel, die daardoor kraakt, en hij vouwt zijn handen over elkaar. 'Beste mensen, ik heb slecht nieuws.' Ik staar naar zijn dikke nek. 'Meneer Meyers' bezoekrecht is ingetrokken.' Mijn vader, vertelt hij ons, heeft gisteravond laat ingebroken in de apotheek en verscheidene flessen hoestsiroop naar binnen geslagen. Vanwege de alcohol. Om dronken te worden.

'Nee,' zeg ik knipperend met mijn ogen.

De directeur kijkt me aan, niet onvriendelijk, maar hij blijft doorpraten. Hij vertelt ons dat mijn vader in afwachting van een disciplinaire maatregel in eenzame opsluiting zit.

'Wat denkt u dat de gevolgen voor hem zijn?' vraagt Angie.

'Er zijn verschillende mogelijkheden.' Hij leunt achterover en speelt met zijn snor. 'Het zou kunnen dat zijn straf wordt verlengd.'

'Nee,' zeg ik weer, terwijl mijn hoofd heen en weer schiet van Angie naar de directeur. Hóéstsiroop? Ik zie het hoestdrankje voor me dat in ons medicijnkastje staat. Ik stel me voor dat ik een flesje leegdrink, en nog een, en nog een. Ongelofelijk.

En voordat ik het weet, verschijnen de enorme sleutels weer en moeten we via een andere deur de ruimte verlaten. Ik ben niet vooruit te branden en Angie trekt aan me.

'Ik moet hem zien,' zeg ik, terwijl ik me naar de directeur omdraai.

'Dat kan ik niet toestaan,' zegt hij. 'Het spijt me,' voegt hij eraan toe.

'Weet hij dan niet dat ik de dagen aftel?' schreeuw ik tegen Angie. 'Waarom nou?'

'Rosie, kom mee,' fluistert Angie.

'Ik moet hem zien,' jammer ik. En ik kan er niet mee ophouden. Angie moet mijn vingers van de deurkruk pellen. 'Het moet!' schreeuw ik. 'Het moet echt!' En dan staan er ineens twee bewakers bij me, die me ieder aan een arm beetpakken en me naar de uitgang trekken. Het gebeurt allemaal in slow motion, en tegen de tijd dat we op de zonnige parkeerplaats staan, huil ik.

Angie probeert me vast te houden, maar ik draai me snel om en schreeuw: 'Het is een vergissing, een vergissing. Zoiets doet hij toch niet?'

Uiteindelijk sta ik toe dat ze haar armen om me heen slaat. 'Ik weet het, Rosie. Ik weet het. Het is hartstikke oneerlijk,' fluistert ze.

Angie wil iets leuks doen, misschien een geweldige maaltijd in elkaar draaien of naar de film gaan, maar ik moet Skate zien. Als we terug zijn in Little Mermaid rij ik op de fiets naar Julia's huis, maar er brandt nergens licht. Daarna rij ik naar de speelhal, waar het in deze tijd van het jaar behoorlijk leeg is. Frank is bezig een skeeballbaan te repareren en Skate ligt languit op de baan ernaast alsof ze aan het zonnebaden is. Zodra ik haar zie, barst ik in tranen uit.

'Wat is er?' vraagt Skate, die rechtop gaat zitten en mijn pols vastpakt.

Ik kan niets zeggen en ga op de rand van de baan zitten. Frank brengt me wat wc-papier om mijn neus te snuiten.

Ik vertel hun het verhaal.

'God, jongens, wat vreselijk rot voor jullie,' zegt Frank, die zijn gewicht voortdurend van het ene been op het andere verplaatst.

Skate schuift snel over de baan en legt haar hand op mijn schouder. 'Rosie, ik heb het je gezegd. Ik heb gezegd dat hij hopeloos is. Gewoon totaal hopeloos. Nu moet je het wel geloven.'

Ik kijk naar haar, kijk in haar ogen die als twee druppels water op die van hem lijken – ogen zo blauw en helder en levendig – en ik zie dat ze echt gelooft dat het hopeloos is. Ik laat mijn kin op mijn borst zakken en snik. Ik snik alsof ik nooit meer kan ophouden.

'Luister naar me, Rosie,' zegt Skate en ze schudt even aan me.

'Hou op, Skate,' zegt Frank.

Hij zit in de baan naast me met de rol wc-papier in zijn hand. Hij scheurt wat velletjes af omdat de prop in mijn hand helemaal doorweekt en verfrommeld is. Ik dep mijn tranende ogen en bezorg mezelf uiteindelijk de hik.

'Ik ga vanavond voor je zus ravioli maken. Ik ga de tent hier zo sluiten. Kom bij ons eten.'

'Frank kan goed koken,' zegt Skate ineens.

Ik schud mijn hoofd.

'Ik ben diep teleurgesteld, zeker weten,' zegt Frank. 'Maar je zult toch wat moeten eten.'

Ik schud nogmaals mijn hoofd en probeer te glimlachen.

'Laten we naar buiten gaan,' zegt Skate.

'Kalmpjes aan, jij,' fluistert Frank Skate toe terwijl hij haar in haar zij port.

We gaan op de promenade op een bankje met uitzicht op de oceaan zitten. 'Schrijf hem alsjeblieft niet helemaal af,' fluister ik. Skate pakt mijn hand, maar ze wil me niet aankijken. 'Skate, denk je dat als mama nog had geleefd, zijn leven er anders had uitgezien?' Mama. Wat klinkt dat vreemd.

Ze kijkt me verbaasd aan. 'Hoor eens,' zegt ze, 'heel veel mensen verliezen hun man of vrouw en gaan gewoon door. Kijk maar naar Julia. Perry's vader heeft haar bedrogen – hij kon hem niet in zijn broek houden, als je snapt wat ik bedoel – en dat heeft haar ontzettend veel pijn gedaan. Ze is van hem gescheiden en nu is ze met Hal en ze houdt van hem. Het moet vreselijk zijn geweest voor de Ouwe Kraai toen mama doodging. Maar toch... Kijk nou naar de treurige puinhoop die hij ervan heeft gemaakt...' Skate zakt ineens onderuit op de bank. 'Dat klinkt toch zo raar: mama.'

We hebben het bijna nooit over haar. Dit is wat we weten: toen ze overleed, was ik nog maar één jaar en begon net wat wankele stapjes te maken, en Skate was twee en begon net wat woordjes aaneen te rijgen. Ze ging dood terwijl ze de afwas stond te doen. Een bloedprop verplaatste zich naar haar hersenen en doodde haar onmiddellijk. Eén keer knippen met je vingers. Zo snel.

'Skate, mis je haar wel eens?'

'Het is moeilijk om iemand te missen die je niet kent.'

Skate praat zo zachtjes dat ik haar nauwelijks kan verstaan en ik vraag: 'Waarom fluister je?'

'Ik denk dat ik haar niet wil kwetsen, voor het geval ze ons kan horen.'

We kijken allebei omhoog naar de hemel. Het schemert, de purperrode lucht wordt donker en de golven slaan met klapjes op het strand.

'Skate, zou je willen dat ze hier nu was?'

'Dat is een wens, niet het gevoel dat je haar mist.'

Ik knik, denk aan haar, de massa's foto's die we hebben. We hebben haar hoge jukbeenderen, haar lange zwarte haar en haar dunne benen geërfd. En zelfs dat ze kickte op kreeft met botersaus. Maar ik denk eigenlijk dat de meeste mensen wel van kreeft met botersaus houden.

'Ik wil je iets vertellen, Rosie.' Skate wendt haar hoofd af zodat ik haar gezicht niet kan zien. 'Ik wil dat je weet dat ik denk dat jij en ik uiteindelijk wel goed terecht zullen komen. Ondanks al dat gelazer – al dat lazerse gelazer – zijn we oké. Jij en ik.'

Ik probeer te glimlachen. 'Gaat het goed met jou en Perry?'

Skate peutert aan de afbladderende verf van de bank. 'Het is zo moeilijk, Ro. Hij daar, ik hier. We maken veel ruzie. Misschien moeten we er allebei nog aan, eh, wennen en zo.'

Ik knik, weet dat het wel goed komt met hen.

'Kom mee ravioli bij ons eten. Jij kunt het deeg uitrollen. Dan maak ik de vulling.'

Ik schud mijn hoofd. 'Ik wil met Gus praten of iemand anders.'

Skate zakt onderuit. 'Ik denk dat Watjesklets op dit moment wel goed voor je is.' Ze rilt en slaat haar armen om zichzelf heen. 'Ongelofelijk toch, hè? Die Ouwe Kraai.'

Ik rijd langs Nicks huis. Ik weet dat ik hem ruimte moet geven, zoals Angie zegt, maar ik kan het niet laten. Ik ga voor zijn huis op mijn fiets zitten en mijn tenen raken nog net de grond. Ik probeer te besluiten wat ik moet doen. Voordat ik een besluit kan nemen, klap ik de standaard naar beneden en loop naar het keukenraam. Binnen is Amy bezig met het inschenken van een glas sap. Ik zwaai. 'Hai, Rosie,' zegt ze en ze doet de deur open.

'Hallo, is Nick in de buurt?'

Ze schudt haar hoofd.

'Doe me een plezier. Zeg tegen hem dat ik naar hem op zoek ben. Zeg tegen hem dat het om mijn vader gaat.'

'Zal ik doen.'

'Vergeet niet te zeggen dat het om mijn vader gaat, niet om mij.'

Ze kijkt me een beetje raar aan en zegt dat ze het niet zal vergeten.

Gus woont aan de noordkant van de baai. Ik weet niet precies waar, dus rijd ik door de straat en kijk of ik zijn aftandse auto ergens zie staan, maar hij is nergens te bekennen. Ik ga naar de delicatessenwinkel en bel hem met de munttelefoon. Zijn nummer zit in mijn portemonnee vanaf de dag dat ik voor het eerst naar de praatgroep ging. De telefoon gaat over, maar schakelt meteen door naar de voicemail. Mijn keel knijpt dicht, dus kan ik geen boodschap achterlaten.

Als ik de keuken binnenwandel, is Angie aardappelen aan het pureren. Ze heeft gevulde paprika's gemaakt en heeft zelfs voor het toetje een citroentaartje gekocht. Maar ik heb weinig honger, en Angie dwingt me niet iets te zeggen en laat me rustig kieskauwen. Ze pakt mijn bord in plasticfolie in en zet het in de koelkast. Als ik de borden wil gaan afwassen, zegt ze dat ik me er niet druk om hoef te maken. Maar ik wil niet nadenken, dus pak ik een theedoek en droog af terwijl zij wast. Haar rubberen handschoenen piepen tegen de natte borden. 'Denk je dat hij nog langer zal moeten zitten?' zeg ik ten slotte.

'Dat zou kunnen, Rosie,' zegt ze, terwijl ze me droevig aankijkt. Later vraagt ze me of ik zin heb om een film te kijken over een jongen die een weerwolf is. Ik zeg tegen haar dat ik moe ben.

Op mijn kamer ga ik achter mijn bureautje zitten met de telefoon binnen handbereik, en probeer een brief te schrijven.

Papa, waarom heb je dat gedaan? Weet je dan niet dat je ons allemaal pijn doet, niet alleen jezelf? Vertel me alsjeblieft waarom.

Ik weet wat het antwoord is: hij kan er niets aan doen. Maar waaróm kan hij er niets aan doen? Ik zie al voor me dat hij zijn oude, afgeleefde gezicht rimpelt. Ik weet dat hij er heel veel spijt van heeft dat hij iedereen heeft teleurgesteld, en ik wil hem niet een nog rotter gevoel bezorgen. Ik verfrommel het briefje. Het huis is stil op het geklapper van de ramen door de wind na. De telefoon blijft ook stil. 'Kom op,' zeg ik tegen het apparaat.

Om middernacht ga ik naar beneden, met een razende honger. Ik warm mijn maaltje gevulde paprika's met puree en sperziebonen op en schrok het naar binnen. Angie ligt op de bank te slapen, met de tv nog aan.

Er wordt op de deur geklopt. 'Hai,' zegt Nick, die naar binnen glipt zodra ik opendoe.

'Hai,' zeg ik zachtjes.

'Is er iets gebeurd?'

Ik knik en de tranen vloeien weer. 'Laten we naar boven gaan.' We lopen de trap op naar mijn kamer en gaan op de grond zitten. Terwijl ik Nick het verhaal vertel, veeg ik mijn gezicht met tissues droog. 'Daar word ik toch zo ontzettend pissig van,' zegt Nick. 'Egoïstische, stomme klootzak.'

'Wil je hem alsjeblieft niet zo noemen?'

'Kom op, Rosie,' zegt hij terwijl hij me strak aankijkt. 'O jezus, sorry.' Hij haalt een elastiekje uit zijn broekzak en maakt een paardenstaart. Zijn oren zijn knalrood. 'Ik heb het eigenlijk over mijn eigen labbekak van een vader als ik dat zeg.'

Ik pak nog wat tissues en in de spiegel zie ik dat mijn gezicht er helemaal nat en pafferig rood en doodmoe uitziet. 'Moet je mij nou zien,' zeg ik, half lachend, half huilend.

'Arme Rosie. Wat een dag voor je.'

'Skate heeft hem totaal afgeschreven,' zeg ik. Ik haal mijn neus op. Hij knikt. 'Misschien zou jij dat ook moeten doen.'

Ik klim op mijn bed en kijk uit het raam, maar het is een donkere, maanloze nacht.

'Nee, je moet niet naar me luisteren,' zegt Nick. 'Jij bent van 's morgens vroeg tot 's avonds laat vergevingsgezinder dan ik.'

Ik heb zo'n akelige hoofdpijn van het huilen dat ik op mijn bed ga liggen en mijn ogen dichtdoe. 'Bedankt dat je langs bent gekomen, Nick.'

'Dat spreekt vanzelf.'

'Vind je het erg als ik je niet uitlaat?'

'Mag ik nog even blijven?'

'Oké,' zeg ik en ik doe mijn ogen open. Nick ligt naast me, pakt mijn hand en houdt die vast. Zijn vingers zijn warm.

'Mag ik die kaars aansteken?' vraagt hij.

'Mm-mm.'

Hij steekt een naar vanille geurende kaars aan die op mijn ladekast staat en knipt het licht uit. Het is kil in de kamer, maar hij baadt nu in het warme licht. Nick legt mijn quilt over me heen en glipt naast me onder de deken.

'Hoe komt hij erbij,' vraag ik, 'om al die flessen hoestsiroop op te zuipen?'

'Als je maar genoeg van streek bent. En wanhopig.'

'Hij moet totaal wanhopig zijn geweest. Ik wil wedden dat als iemand had gezegd: "Meyers, een fles Vicks of je leven?", dat hij de fles Vicks had genomen.'

'Ja,' zegt Nick.

'Ik begrijp niet dat het hem helemaal niets uitmaakt.'

Nick pakt mijn hand weer.

'Ik heb je gemist,' vertel ik hem.

'Ja, we hebben elkaar maar weinig gezien, hè?'

Ik wilde dat hij me vertelde waarom, maar dat doet hij niet. Al snel zakt mijn hoofdpijn en voel ik me ontspannen. Nick draait zich op zijn zij en raakt mijn haar aan, laat zijn vingers erdoorheen glijden, waardoor ik helemaal ga tintelen.

'Ik vind je haar mooi.'

En dan geeft hij me zachtjes een kus op mijn lippen. Ik voel het nauwelijks. Hij wacht een seconde en doet het dan nog een keer. En nog eens. En als ik mijn ogen open, geeft hij me een echte kus, een lange zoen, en we slaan onze armen om elkaar heen. Het is zo fijn en gezellig onder de quilt met Nick, dat als hij zijn hand onder mijn t-shirt stopt, ik hem niet tegenhoud. En als hij mijn bh losmaakt, hou ik hem niet tegen. En als hij mijn spijkerbroek open ritst, hou ik hem niet tegen. Het is allemaal zo fijn en het gebeurt allemaal zo langzaam. Zo fijn en zo langzaam dat ik kan ophouden met denken.

We liggen naakt onder de dekens, hebben onze kleren uit bed op de grond geschoven. 'Heb je iets?' fluistert Nick.

'Bedoel je…'

'Een condoom,' zegt hij. Ik stop mijn hand in het laatje van mijn

95

nachtkastje op zoek naar het condoom dat ze vorig jaar bij seksuele voorlichting op school hebben uitgedeeld. Bij het kaarslicht zoeken we uit hoe het werkt en niet lang daarna is Nick in me. Naderhand kijken we elkaar in de ogen en Nick aait zachtjes mijn wang. Je ogen niet dicht-doen, Rosie, zeg ik tegen mezelf. Maar ze moeten zwaar zijn geworden.

Als ik de volgende morgen wakker word, is Nick verdwenen, en ik ben naakt en er zit een veeg bloed tussen mijn benen. Wat heb ik gedaan?

Skate

'Je hebt jezelf overtroffen, Frank.' Ik schuif mijn bord van me af en maak de knoop van mijn spijkerbroek los om uit te buiken.

Frank spietst de laatste ravioli aan zijn vork. 'De saus is een pietsje smerig.' Hij werkt het deegkussentje met één grote hap-slok naar binnen. 'Zout, denk ik.'

Ik schud mijn hoofd. 'Het was echt verrukkelijk, man.' Wat is hij toch een perfectionist.

'Zo, ga je je vriendje nou over de laatste ontwikkelingen vertellen?' vraagt Frank.

Ik zucht en knik. 'Ik zie hem morgenochtend.'

O, die Perry. Hij belde aan het begin van de week en zei dat hij zaterdag thuiskwam om samen met mij bij de Ouwe Kraai op bezoek te gaan. Toen belde hij de volgende dag weer en zei dat het hem speet, maar dat hij niet kon komen. En gisteren belde hij weer en zei dat het hem misschien toch wel zou lukken, en toen werd ik pisnijdig. 'Je zegt nu meteen of het ja of nee is. Of je komt wel, of je komt niet, dude.' Ik was bij Julia en zat aan de keukentafel mijn nagels te lakken.

'Skate, begrijp je nou niet dat ik ontzettend mijn best doe?'

'Ja of nee?' zei ik.

'Ik denk nee,' zei hij. 'Omdat ik het niet absoluut zeker weet.'

Ja, ik was boos over zijn slappe gedraaikont, maar het was moeilijk om echt heel boos te worden, omdat ik toch niet bij de Ouwe Kraai op bezoek wil. En ik moet me een beetje schuldig hebben gevoeld, omdat ik die brief pas van de week op de post heb gedaan. Ik ben zelfs naar het postkantoor gegaan om een postzegel te kopen, omdat Rosie alleen maar zoetsappige postzegels met hartjes voor Valentijnsdag had. Ik kocht een velletje van tien postzegels met wilde bloemen en koos een donzig onkruidje uit.

Gisteravond hebben Julia en ik in het grote winkelcentrum geshopt en toen heeft ze een stel bungelende oorbellen voor me gekocht. We hebben het niet over Perry gehad, maar ik weet dat zij weet dat er mot is. Later, toen ik met mijn nieuwe oorbellen voor de spiegel in Perry's slaapkamer stond, belde hij op en zei dat hij me wilde zien en absoluut zondagochtend naar huis zou komen. Hij klonk niet slap. 'Ik zal er zijn. Ik beloof het je, Skate.'

'Oké dan,' zei ik, terwijl ik mijn hoofd naar links en naar rechts draaide om mijn oorbellen heen en weer te zien zwaaien. En ik vroeg me af of ik echt op hem kon rekenen.

De telefoon gaat en Frank vliegt erop af. 'Hallo,' zegt hij en er verschijnt ineens een kolossale glimlach op zijn gezicht. Hij jaagt me met zijn hand weg.

Ik gris een lolly uit de schaal met snoep die nog van Halloween over is, loop de tuin in en ga op zijn roeiboot zitten. Het wordt echt tijd dat Frank een geregelder leven gaat leiden. Ik draai de lolly rond in mijn mond. Hij zou eens een jaar of zo met hetzelfde meisje uit moeten gaan. Hij zou eens verliefd moeten worden zoals ik op de avond van het vreugdevuur vorig jaar herfst.

Het was koud, de wind was guur, maar aan de hemel stonden wel een miljoen glinsterende sterren. Het vuur knetterde en plofte en ik staarde erin, met een plastic bekertje getapt bier in mijn hand. Ik ben geen goede drinker. Ik word nooit dronken. Ik ga nooit verder dan de warme gloed. Dus ik gloeide een beetje en keek naar de vlammen, toen Perry naast me neerplofte. 'Skate,' zei hij. Zijn stem klonk blij en

warm in de koude nacht. 'Hier zit je.' We praatten wat over de gebrui-
kelijke dingen, maar we waren ook stil. Het was fijn om daar alleen
maar te zitten op het zand, bier te nippen en te luisteren naar het vuur.
Perry pakte een handjevol zand en liet het voorzichtig tussen zijn vingers door in mijn hand lopen. Een siddering van genot ging door me
heen.

Na die avond waren we bijna altijd samen. Sommige meisjes op
school maken de vreselijkste drama's mee met hun vriendjes. Ze huilen in de toiletten, hebben ruzie met veel geschreeuw op het school-
plein, maken het uit en weer aan en weer uit, zodat je het allemaal niet
meer kunt bijhouden. Perry en ik zijn nooit zo geweest. Perry en ik
waren heel relaxed.

Tijdens de zomer vingen we krabben met lijntjes vanuit Perry's
roeiboot. Ik hing over de zijkant, sleepte met mijn vingers door het
water, en ik zei: 'Per, we blijven voor altijd bij elkaar, hè.' Ik zei het niet
alsof het een vraag was, omdat ik het geloofde.

'Het is gewoon niet voor te stellen dat het niet zo zou zijn,' zei hij,
terwijl hij met zijn hand zijn ogen tegen de zon afschermde en glimlachte. 'Maar ik wou dat je ouder was, Skate. Ik wou dat je met mij
mee naar Rutgers kon.' Dat wilde ik niet. Ik wilde dat Perry aan het
derde jaar op de middelbare school begon, zoals ik. Op die manier
zouden we dat hele jaar en het volgende nog samen zijn. Al die tijd. Ik
heb me nooit kunnen voorstellen dat het zo moeilijk zou zijn toen hij
naar de uni ging. Perry missen doet pijn. Maar op een of andere manier kan ik die pijn wel aan.

Frank opent de deur en geeft me mijn rugzak en mijn skateboard
aan. 'Je moet opkrassen. Sorry.'

'Shit,' zeg ik. 'Wie is het?'

'Een Lovely Dude, uiteraard, en ze komt een biertje drinken.'

'Oké,' zeg ik en ik hijs mezelf uit de roeiboot. 'Veel plezier, Frank.'

'Ik doe mijn best.'

'Bedankt voor de ravioli.'

'Ja. Je moest trouwens toch nog even bij Rosie langs om te kijken hoe het nu met haar is.'

'Ga je me nou ook nog een schuldgevoel aanpraten?'

'Ze is behoorlijk van slag, Skate.'

'Ik weet het.'

Maar ik wil helemaal niet denken aan of praten over de Ouwe Kraai. Daarom rijd ik naar de Captain's Saloon op de promenade. Een van de barkeepers is een vriend van Frank, dus denk ik niet dat hij me eruit zal gooien. Ik ga aan de bar zitten. Mickey buigt zich naar voren en houdt zijn gezicht vlak voor het mijne. 'Wat ben je, vijftien of zo?'

'Zestien, maar bijna zeventien, dude.'

Hij kijkt me met een scheve glimlach aan.

'Luister eens,' zeg ik en ik rommel ondertussen in mijn rugzak. 'Ik heb maar één dollar. Kan ik daar een kleintje cola voor krijgen of zoiets?'

Hij schudt zijn hoofd, maar schept met een glas wat ijs uit een bak en vult het met frisdrank uit een slang. 'Van het huis,' zegt hij.

'Dan is dit je fooi.' Ik geef hem de dollar. Hij lacht en stopt het biljet in zijn zak.

Het café is wel wat deprimerend, moet ik toegeven. Er zitten een paar oude mannen in hun eentje te drinken. Een van hen haalt stofpluisjes uit zijn zak en legt die op een rij op de bar. In een hoek zit een ordinair wijf te vrijen met een vent. Op de hoog hangende tv is een voetbalwedstrijd aan de gang.

'Behandelt Frank je wel netjes?' vraagt Mikey, terwijl hij met een lap een veeg over de bar geeft.

'Frank is een goeie vent,' zeg ik.

'En hoe zit dat dan precies met jou en Frank, dame?'

'Ik werk voor hem,' zeg ik en ik neem een slok. 'Hij is een vriend van me.'

'Ja, ja,' zegt hij, alsof hij het niet gelooft.

'Luister, Frank heeft het al met genoeg meisjes aan de stok. Daar heeft hij mij niet voor nodig. Bovendien heb ik een vaste vriend.'

'Wat doe je hier?'

'De tijd doden.'

'Behandelt je vriendje je dan wel goed?'

'Ja,' zeg ik. Niet echt goed, eerlijk gezegd.

Ik haal mijn leerboek geschiedenis uit mijn rugzak en lees een hoofdstuk over de Vrede van Versailles. Wanneer het drukker wordt in het café besluit ik te verkassen naar Julia's huis. Perry zal daar morgenochtend voor dag en dauw voor de deur staan, als ik hem mag geloven.

Julia zit rechtop in bed te lezen. 'Hai, Skate,' zegt ze.

'Hai.' Ik blijf aarzelend in de deuropening van haar slaapkamer staan en probeer te besluiten of ik haar over dat laatste gedoe met de Ouwe Kraai zal vertellen. Ergens wil ik dat wel, maar het gevoel om het niet te doen is sterker.

'Alles goed met je?'

Ik knik. 'Alleen moe.'

Ik laat me lekker lang weken in de badkuip. Julia heeft een enorme verzameling lavendelbadparels, glinsterende vloeistoffen en poederachtige vlokken die op magische wijze kunnen veranderen in schuimende bubbels. Wanneer mijn huid helemaal gerimpeld is, sla ik een donzige handdoek om en ga naar Perry's kamer. Daar ga ik naakt voor de ladekast staan. Ik kijk naar mezelf in dezelfde spiegel waarin Perry al zijn hele leven kijkt, en ik krijg ineens zo'n raar gevoel terwijl ik naar mijn lange, natte haar en gladde huid kijk. Net alsof ik hier niet hoor te zijn. Ik ga op het bed zitten en kijk de kamer rond. Onze sweaters – degene die Perry niet heeft meegenomen naar de uni – liggen op een hoop op een plank in de kast. Mijn blauwe nagellak staat naast zijn deostick. Waarom voel ik me dan zo belabberd?

Ik slaap lang, denk ik. Gapend loop ik de keuken in, waar Perry al wentelteefjes zit te eten. Julia staat achter het werkblad en doopt sneetjes brood in rauwe eieren met kaneel.

'Hai,' zeg ik en ik buig me om hem een kus te geven. 'Waarom heb je me niet wakker gemaakt?'

'Ik ben er nog maar net,' zegt hij en zijn donkere ogen schieten omhoog naar mij.

'Maar waarom heb je me niet wakker gemaakt?'

Hij haalt een stuk van een wentelteefje door een plas stroop op zijn bord en steekt het me toe om me een hap te geven.

Na het ontbijt ben ik me aan het aankleden wanneer Perry op de slaapkamerdeur klopt. Hij komt binnen en gaat op het bed zitten. Ik doe mijn nieuwe oorbellen in en houd al mijn haar boven op mijn hoofd vast. Maar Perry schijnt het niet eens op te merken. 'Ik moet je iets vertellen,' zeg ik.

'Ik moet ook met jou praten.'

'Ga jij maar eerst,' zeg ik, omdat ik hem eigenlijk helemaal niet wil vertellen over die akelige geschiedenis met de hoestsiroop.

We gaan buiten op het terras aan de picknicktafel zitten en kijken uit over de lagune die nu zo glad is als Julia's gestreken lakens.

Perry staart me in mijn gezicht aan alsof hij me wat wil vertellen, maar hij zegt helemaal niets. Hij zit zo doodstil dat ik een trilling van de zenuwen in mijn buik voel. Hij begint te huilen en laat zijn gezicht in zijn handen zakken. 'Skate, ik kan het niet. Het gaat zo niet.' Hij veegt woest met zijn vingers over zijn natte ogen. 'Het is te moeilijk. Ik dacht dat we samen konden blijven, maar het gaat niet. En ik heb iemand ontmoet. Het was de bedoeling niet…'

'Wie?' fluister ik.

'Het spijt me zo, Skate. Ik wil je geen pijn doen.'

Het meisje met het glanzende haar. 'Gina,' zeg ik.

'Wat?'

'Jij en Gina?'

'Nee, nee. Zij is een vriendin. En jij zal altijd mijn vriendin blijven, maar dit…' – hij zwaait met zijn hand van mij naar hemzelf – 'gaat niet meer. Het is voor ons allebei te zwaar.'

Ik knipper met mijn ogen. 'Maak je het uit?'

'Ik kan niet anders. Het spijt me. Ik kan het gewoon niet meer.' Hij raakt mijn gezicht aan, staat op en loopt naar zijn Hyundai.

'Waar ga je heen?' roep ik en ik ren achter hem aan.

'Terug naar Rutgers.'

'Nee!' schreeuw ik. Ik grijp het portier vast, maar hij slaat het hard dicht en start de motor.

Ik bonk op het raampje. 'Dat kun je niet maken, Perry. Dat kan niet!' Langzaam rijdt hij de auto van de oprit af. 'Kom terug!' schreeuw ik. 'Kom terug!'

Maar hij rijdt nu al over straat, dus ren ik hem achterna tot ik de auto helemaal niet meer kan bijhouden. 'De Ouwe Kraai zit in de problemen,' gil ik. 'Hij moet misschien wel…' Maar Perry is al bij de eerste kruising aangekomen. Ik blijf midden op straat staan en kijk de Hyundai na tot hij allang is verdwenen.

Julia staat voor haar huis met in haar hand een theedoek met grote blauwe stippen. 'Skate!' roept ze, en op dat moment begrijp ik dat ze wist dat dit zou gebeuren. Ze wist waarom Perry thuiskwam. Ik pak mijn board en ga ervandoor.

Rosie

Ik doe alsof ik griep heb. Dat is niet moeilijk, omdat ik kou heb gevat en nies en ik toch al het gevoel heb dat mijn hoofd verstopt zit. Ik blijf een dag thuis en daarna nog een dag. Angie staat op de derde dag in de deuropening. 'Zou je vandaag niet weer eens naar school gaan?' zegt ze en ze gooit een handdoek naar me. 'Als je opschiet, kun je de bus nog halen.'

'Ik weet het niet, Angie. Ik heb nog steeds koorts.' Ze drukt de rug van haar hand tegen mijn voorhoofd.

'Leugenaar,' zegt ze. 'Kom op, Rosie, ben je niet aan een verandering van omgeving toe?'

Ik schuif nog verder onder de dekens. De omgeving bevalt me hier best, dank je vriendelijk. Ik nies precies op het juiste moment. Angie haalt haar schouders op.

Nick laat een boodschap op het antwoordapparaat achter, en omdat ik hem niet terugbel, komt hij onverwachts langs als ik in mijn sjofele nachtpon onder de dekens een detective lig te lezen. Hij gaat met gekruiste benen op de grond zitten, een beetje ineengedoken, en kijkt naar me op. Ik hou mijn nachtpon hooggesloten vast en kan om een of andere reden nauwelijks ademhalen.

'Hoe is het met je?' vraagt hij.

'Ik heb griep of zoiets.' Ik doe alsof ik moet hoesten.

'Ik heb wat huiswerk voor je meegenomen.' Hij legt een stapel papieren op mijn bed.

'Hé, bedankt.' En dan voel ik me ineens heel raar in mijn sjofele nachtpon en met mijn vieze haar, dus trek ik de deken over mijn hoofd. 'Ik zie er vast niet uit.'

'Eerlijk gezegd, zou je er prima uitzien als je die ragebol zou wassen en er een kam doorheen halen.'

Ik gluur over het randje van de deken. Nick glimlacht naar me en haakt zijn haar achter zijn oren.

'Is met ons wel alles oké, Rosie?'

Ik knik, kijk even uit het raam en krijg het warm bij de gedachte aan zijn huid en mijn huid onder deze zelfde deken.

Alsof hij mijn gedachten kan lezen, zegt hij: 'Heb je er spijt van, Rosie?' Hij trekt aan een draadje van zijn spijkerbroek met gaten en gluurt even naar me. 'Over jou en mij? Over wat er is gebeurd?'

'Ik weet het niet.'

Hij wendt zijn blik af en kijkt knipperend met zijn ogen naar mijn prullenmand. 'Ik heb er geen spijt van.'

'Het gebeurde allemaal zo snel, Nick.'

'We kunnen het langzamer aan doen.'

'Kunnen we dat?'

Hij knikt.

'Ik heb op dit moment gewoon te veel dingen aan mijn hoofd,' zeg ik.

Nick knikt weer en staat op. 'Bel je me gauw weer een keertje?' Ik knik. Hij slingert zijn rugzak over zijn schouder en steekt zijn hand uit. Maar ik ben bang hem aan te raken. Dat doe ik dan ook niet, maar hij ziet er een beetje gekwetst uit en zijn blik zakt langzaam in de richting van het vloerkleed. Dus steek ik mijn hand uit en zachtjes strijken onze vingers langs elkaar. Hij glimlacht, min of meer. En daarna is hij weg.

Nadat hij is vertrokken, ga ik onder de douche, was mijn ragebol en haal er een kam doorheen. Ik trek een schoon trainingspak aan, verschoon de lakens en kruip daarna weer in mijn bed tot mijn maag begint te knorren. Ik ga naar beneden en eet een geroosterde boterham met jam, en kippensoep, en een half pak volkorenkoeken met chocolade. En drie dagen thuis worden vier dagen, daarna vijf. Zo moeilijk is het niet. En ik bel Nick niet.

Het is allemaal zo verwarrend. De praatgroep kan van mij ook de pot op. Ik ga Nick niet uit de weg. Althans, ik geloof niet dat hij de reden is waarom ik niet ga. Ik vind gewoon dat het niet helpt. Misschien heeft Skate toch gelijk. Als ik niet kom opdagen, laat Gus een boodschap voor Angie achter. Maar ik bel hem ook niet terug. Daarna belt Julia, die op zoek is naar Skate. Maar ik heb Skate al dagenlang niet meer gezien. Ik doe net alsof ze even de deur uit is.

Ik vind het vooral fijn om in bed te liggen. Ik glijd diep onder de dekens waar het donker en warm is. Ik denk aan Nicks handen die me aanraken en ik raak zachtjes mijn blote buik aan, wat me een siddering bezorgt. Het was fijn, zijn vingers die zachtjes en vriendelijk mijn lichaam streelden en mijn vingers zachtjes en vriendelijk het zijne. Maar waarom kan ik hem niet bellen? Waarom wil ik dat niet? Ben ik wel normaal? Ik spring uit bed en bekijk mezelf in de spiegel, laat mijn handen over mijn knalrode wangen glijden. Ik zie er nog steeds als mezelf uit. Maar ik ben onzeker of ik nog wel mezelf ben. Ik ben nu anders, ja toch?

Ik krijg koude voeten en ik ga in mijn sokkenla op jacht naar het lekkerste paar, en op dat moment moet ik ineens aan het geld denken dat ik met mijn zomerbaantje heb verdiend en dat op een stapeltje onder de berg sokken lag. Ik herinner me dat ik ontdekte dat het was verdwenen. Ik herinner me dat ik de la opendeed en dat het er helemaal niet meer was. 'Mijn geld is gestolen!' schreeuwde ik terwijl ik Skates slaapkamer binnenstormde. Ik sleepte haar mee naar mijn kamer en liet haar de la zien waarin alleen nog maar sokken lagen.

'Ja, je geld is gestolen, begrepen.' Ze vloog naar beneden, waar papa bewusteloos op de bank in de serre lag. Ze gaf hem een trap, maar hij kwam nauwelijks in beweging. Ze bleef hem slaan en schoppen, maar hij was echt heel erg ver heen.

'Hij heeft het niet gedaan,' bleef ik maar zeggen terwijl ik haar probeerde vast te pakken. Ze duwde me weg.

'Wel waar, Rosie. Gebruik verdomme toch je verstand.'

Toen hij de volgende dag wat nuchterder was, gaf Skate hem de wind van voren. 'Ik heb het van je geleend, Rosie, schat,' zei hij. Hij keek me met bloeddoorlopen ogen aan terwijl hij op zijn knieën op de grond zat. Met zijn hand zwaaiend over het kleed was hij bezig geweest om zijn zonnebril te zoeken. 'Ik betaal je terug,' zei hij met een schorre stem. In zijn mondhoeken verscheen spuug. Hij heeft het geleend, hij heeft het geleend, zei ik tegen mezelf. De opluchting gaf me het gevoel dat ik naast hem neer wilde knielen en hem omhelzen. Maar ik voelde ook nog iets anders. Iets wat me vanbinnen het gevoel gaf dat ik bakzeil haalde. Maar dat begreep ik toen niet.

Nu ik mijn sokken aanraak, dringt het wel tot me door. Natuurlijk begrijp ik het nu. Ik zie voor me dat hij mijn kamer binnenkomt, onuitgenodigd, al mijn lades doorspit tot hij de stapel briefjes van twintig, tien, vijf en één dollar ontdekt die onder mijn blauwe, harige sokken ligt verstopt. Ik zie voor me dat hij het stapeltje biljetten pakt alsof hij daar het recht toe heeft, alle biljetten pakt en wegloopt. Wegloopt met wat mij de hele zomer heeft gekost om bij elkaar te sparen.

Op dat moment rinkelt de telefoon en ik denk dat hij het is, dat hij me vanuit de gevangenis belt. 'Hallo!' snauw ik.

'Is Olivia thuis?' Olívia?

'Met wie spreek ik?'

'Ik bel later wel weer,' zegt de jongen en hij hangt op.

Julia belt nogmaals, op zoek naar Skate, maar waar is Skate dan als ze niet bij Julia is? Nou ja, ik kan niet alles weten, nietwaar? En ik neem nog een boodschap aan.

De rare jongen belt de volgende dag weer. 'Olivia?' zegt hij wanneer ik opneem.

'Jij hebt gisteren ook gebeld, hè?'

'Wie ben je?' vraagt hij.

'Wie ben jíj?' zeg ik.

'Hoor eens, waar kan ik haar bereiken?'

'Je kunt een boodschap achterlaten.'

'Zeg maar dat Johnny heeft gebeld. Rutgers. Poker. Kun je dat allemaal onthouden?'

'Johnny. Rutgers. Poker,' zeg ik. Nadat hij zijn nummer heeft gegeven, breek ik het gesprek af.

Aan het einde van de week stuift Skate mijn kamer binnen en gaat op mijn bed zitten. 'Waarom schitter je op school door afwezigheid? Ik liep Nick tegen het lijf. Hij zei dat je al de hele week niet bent geweest. Ik dacht dat je er maar een paar dagen niet was…'

Ik pak een tissue en doe alsof ik mijn neus moet snuiten.

'Rosie, je kunt echt helemaal niks doen aan de Ouwe Kraai. Ga er dan niet in zwelgen. Grijp jezelf bij de kladden en ga naar school.'

'Wie is Johnny?'

'Wie?' zegt ze met een boos gezicht.

Ik vertel het haar en geef haar zijn nummer. 'Goeie genade,' zegt ze.

'Ik moet wel zeggen dat ik het geen aardige jongen vond. Is hij een vriend van Perry?'

'Zoiets. Het maakt niet uit,' zegt ze en ze stopt het nummer in haar zak.

'Waar heb je uitgehangen? Julia blijft ons maar bellen.'

'Bij Frank.' Skate pakt een haarelastiek van mijn ladekast, bindt haar haren met een lus tot een staart en schudt haar hoofd.

'Is er iets mis, Skate?'

'Niets dat niet kan worden opgelost,' zegt ze.

'Vertel het me.'

'Grijp jezelf nu bij de kladden en ga naar school.'

'Vertel het me.'

'Tot later.' Ze vliegt de deur uit en stormt de trap af.

Zaterdag belt Julia voor de derde keer, en als ik haar vertel dat Skate niet thuis is, zegt ze: 'Ik zal het je eerlijk zeggen, maar ik mis haar nog steeds. En ik maak me eigenlijk bezorgd om haar, Rosie.'

'Vanwege Perry?' vraag ik voorzichtig. Wat kan er mis zijn?

'Hoe neemt ze het op?' vraagt Julia.

Zouden ze het hebben uitgemaakt? 'Denk je dat…' Ik houd het telefoonsnoer stevig vast terwijl ik als een bezetene naar de juiste woorden zoek. 'Is het echt uit?'

'Ja, dat denk ik,' zegt Julia.

Ik hang een beetje geschokt op. Maar dat kan toch niet waar zijn? Ik zie Skate nog voor mijn spiegel staan en haar haren in een staart draaien. Goeie genade… Dat klonk toch helemaal niet als iemand die aan de kant is gezet?

Ik kleed me aan: spijkerbroek, sweater, sneakers – echte kleren voor de verandering – en rij op mijn fiets naar Lucky Louie's, waar Frank achter de prijzenbalie in een studieboek zit te lezen.

'Frank,' zeg ik, terwijl ik snel op hem af loop. 'Is Skate hier ergens?'

Hij kijkt op van zijn boek en zegt: 'Ik dacht dat ze bij jou was. Ze heeft haar werk afgezegd. Ze zei dat ze duizend dingen had te doen.'

'Hoeveel weet jij van dat gedoe met Perry. Dat het uit is?'

'Wat?' zegt hij en hij duwt het boek van zich af.

Ik leun tegen de balie en vertel hem wat ik weet. 'Ik heb het megaakelige gevoel dat ze naar Rutgers is gegaan.'

'Wat een meid toch,' zegt hij hoofdschuddend. 'Zou hun relatie echt naar z'n mallemoer zijn? Ze gedraagt zich in elk geval niet zo.'

We besluiten om naar het station te rijden om te kijken of we haar nog kunnen onderscheppen. Frank zet zijn Yankees-honkbalpet achterstevoren op zijn kop en vraagt aan een vriend van hem in de pizzazaak of hij op de speelhal wil passen. Daarna stappen we in Franks pick-uptruck en rijden naar Cove. Maar het station is helemaal leeg. Ik spring uit de auto en staar langs het spoor de mistige duisternis in. Niets.

'Waarom heeft ze het niet aan me verteld?' zegt Frank als ik weer instap. 'Waarom heeft ze het jou niet verteld?'

'Misschien gelooft ze niet dat het waar is. Misschien heeft Perry het uitgemaakt, maar pikt ze dat niet.'

'Zo halsstarrig als maar kan.' Hij schudt zijn hoofd. 'Die meid.'

'Ik kan haar niet eens opbellen.'

'Nee,' beaamt Frank. 'En hoe gaat het met jou, Rosie?' vraagt hij terwijl we terugrijden naar Mermaid. Hij morrelt aan de radio en knetterend komt de classicrockzender tot leven.

Door zijn vraag proest ik het ineens uit, omdat ik dat niet weet. Ik heb geen idee hoe het met me gaat. Heel even stel ik me voor dat ik tegen hem zeg: mijn vader mag misschien nog een tijdje langer in de gevangenis zitten en ik ben voor het eerst met een jongen naar bed geweest en dat zou ik nu het liefst ongedaan maken. Frank werpt even een blik op me. Ik haal mijn schouders op en probeer te glimlachen. Dan vertel ik hem dat ik de hele week met een verkoudheid thuis heb gezeten en dat het goed voelt, denk ik, om eindelijk weer uit bed te zijn.

'Hé, heb je zin om een paar uurtjes te werken? Ik betaal en dan mag jij de dozen met prijzen uitpakken. Misschien is het goed om iets te doen te hebben.'

Dus rijden we terug naar de promenade en ben ik de volgende paar uur bezig met het inventariseren en sorteren van jojo's, stuiterballetjes, spinnenringetjes, fluitjes, verrekijkertjes en plaktattoos in bakken. Daarna gaat Frank calzone halen en die eten we aan de balie op. Twee oudere meisjes van mijn school komen de speelhal binnen, klappend met hun kauwgom en druk in de weer met hun mobieltjes. Ze kuieren naar de liefdesmeter. Die meet je sensualiteit, en de keuzes zijn: LOSBANDIG, HARTSTOCHTELIJK, GEIL, VURIG, SEXY, WILD, GEMATIGD, ARGELOOS, KLEF en NIET-OPWINDEND. Het blonde meisje gooit er geld in en knijpt in de handgreep, en alle woorden lichten op voordat het apparaat stopt op KLEF. We lachen allemaal. Nadat ze zijn vertrokken, schept Frank op dat hij nooit KLEF krijgt. 'Je hebt gewoon altijd geluk,' zeg ik, terwijl ik mijn calzone in de tomatensaus doop. Hij neemt de uitdaging aan en gooit vijftig cent in het apparaat. De lampjes knipperen op en neer en heen en weer en blijven staan op GEIL. 'Zie je nou wel,' zegt hij met zijn hoofd scheef en grijnzend.

'Je hebt dat ding vast zelf afgesteld.'

'Nee, hoor,' zegt hij lachend. 'Ik heb een paar keer NIET-OPWINDEND gehad. Maar nooit KLEF.'

Frank stopt er nog twee kwartjes in en zegt dat ik het een keer moet proberen. Ik knijp in de hendel en krijg VURIG.

'Niet al te slecht,' zegt hij. Ik voel dat ik bloos. Vurig? Ik?

'En Skate?' zeg ik, terwijl ik alle woorden bekijk. 'Vast en zeker WILD.'

'Jij zegt het, LD.' En dan zingt hij: '*Wild thing, you make my heart sing.*'

'Waar staat LD voor?'

Frank kijkt me verbaasd aan. '"Lovely Dude" natuurlijk. LD is de afkorting.' En weer bloos ik.

Hij betaalt me veertig dollar, wat veel geld is voor iets meer dan twee uur werk, maar wanneer ik begin te stamelen en probeer het terug te geven, buigt hij mijn vingers om de biljetten heen. 'Neem, neem,' zegt hij. Daarna biedt hij aan me met de auto naar huis te brengen, omdat het koud is en de wind onwijs is aangewakkerd, maar ik wil fietsen.

'Als je Skate ziet, wil je dan zeggen dat ze bij me langs moet komen?' vraag ik als ik mijn jas aantrek.

'Natuurlijk.'

'Ik maak me zorgen.'

'Ach, die redt het wel.'

'Denk je?' vraag ik. Ik sla mijn sjaal om mijn nek.

Hij knikt.

Een meisje met krullend haar en grote blauwe ogen glipt de hal binnen. Ze houdt haar hoofd scheef terwijl ze naar Frank kijkt. 'Kijk nou eens, hij leeft nog!'

'Nou ja, wie had dat gedacht?' zegt Frank met een stralende glimlach om zijn mond.

'Je had beloofd me te bellen!' Ze vouwt haar armen voor haar borst alsof ze boos is, maar ze glimlacht ook naar Frank.

Hij schiet op haar af, duikt snel achter haar en slaat, zo GEIL als hij is, zijn armen om haar heen in een innige omhelzing. 'Dat had ik ook moeten doen... maar nu ben je hier, LD.' Hij draait haar om en kust haar, één, twee, drie keer, en ze gaat niet meer tegen hem in. Wanneer ik naar buiten glip, draai ik me om en zie dat ze voor het waarzegapparaat staan te vrijen.

Ik moet hard tegen de wind in trappen en denk ondertussen na over Nick. Ik vraag me af of hij me misschien heeft gebeld. Maar zou ik hém niet bellen? Als ik thuis ben, zegt Angie: 'Nee, nee, geen telefoontje van Nick.' Daarom bel ik zijn huis, maar de telefoon schakelt uiteindelijk over op het antwoordapparaat. Na de piep wil ik zeggen: 'Nick, met Rosie. Ik mis je.' Maar ik kan het niet. Ik blijf daar alleen maar met een bonkend hart staan.

Skate

Misschien is hij niet zo erg. Dat wil zeggen, Johnny. Hij komt me van het station halen, en dat is meer dan sommige andere bekenden van me zouden doen. We gaan eerst eten – stromboli's (zijn idee) – en daarna gaan we naar een feest (mijn idee).

'Je wilt Perry toevallig tegen het lijf lopen, hè?' vroeg Johnny toen ik hem laat op de avond terugbelde vanuit Franks keuken. Frank stond op dat moment onder de douche.

'Het maakt mij niet uit of we hem tegenkomen of niet,' zei ik.

'Leugenaar,' fluisterde Johnny. Daarna lachte hij.

'Je denkt maar wat je wilt denken.' De koelkast bromde tegen mijn rug.

'Ik vind het best, hoor, een feest, Olivia.'

'Dan doen we dat.'

Ik weet niet of ik geloof dat Perry iemand anders heeft ontmoet. Ik weet in elk geval wel dat het me niks kan schelen. Omdat wie het ook is, zij niet mij is. Ik ben een heel jaar lang met Perry gegaan. Een heel jaar lang vol praten, lopen, rondhangen, kussen, uitkleden, lachen, surfen, krabben vissen, eten, werken. Perry en ik hebben dat allemaal, en zij kan dat niet wegvagen. Dit is wat ik denk: Perry heeft alleen even een opfrissertje nodig over wat belangrijk is. En ik denk dat ik een behoorlijk goed opfrissertje kan zijn. Samen met Johnny verschijnen is misschien wel een bijzonder goed opfrissertje. Als ik ineens mijn spiegelbeeld in het treinraam zie, glimlach ik. Ik leun met mijn hoofd tegen de rugleuning terwijl de trein langs moerassen en oude pakhuizen met kapotte ramen en parkeerplaatsen vol vrachtwagens zoeft. De maan staat helder aan de hemel terwijl de trein voorttuft en me dichter bij Rutgers brengt.

Het scheelde niet veel of ik had vanmorgen alles aan Frank verteld. Maar hij zat als een ouwe mopperkont over zijn Coco Pops gebogen. Hij zei dat hij pijn in zijn rug had, omdat zijn laatste LD – degene die vorige week een biertje kwam drinken – een rampzalig bed heeft, in het midden helemaal doorgezakt. Daarom gaf hij mij zoiets als 'het boze oog'.

'Je brengt zeker liever de nacht in je eigen bed door,' zei ik. Ik propte de lakens en de blauwe deken op. Hij gromde iets toen ik op de kussens van de bank sloeg om ze weer op te schudden. 'Ik ga wel weg, Frank. Ik wil niet dat je je aan mij gaat ergeren.'

'Het punt is,' zei hij, 'dat ik haar eigenlijk niet mee naar huis kan nemen zolang jij op de bank slaapt.' En toen keek hij een beetje schuldig terwijl hij een lepel Coco Pops met melk naar binnen slurpte.

'Ik heb het begrepen. Echt, het is geen probleem.' En toen dacht ik dat ik hem moest vertellen wat er met Perry was gebeurd, maar dan zou hij misschien weer medelijden met me krijgen, en ik wil niet dat hij medelijden met me krijgt. Sommige dingen lijken nu eenmaal niet wat ze zijn, en ik ben waarschijnlijk de enige tot wie dat is doorgedrongen.

Johnny is laat. Ik sta buiten voor het station tot ik het te koud krijg en binnen op een bank ga zitten. Om de paar minuten ga ik buiten kijken of hij er al staat. O, waarom heb ik toch geen mobieltje! Ik kan daar zo kwaad om worden. Ik ben het wachten zat en bel uit een telefooncel Perry's mobieltje, maar dat schakelt meteen over op de voicemail.

Zijn stem horen bezorgt me een pijnscheut, en het lukt me niet om op te hangen. Dan voel ik een klopje op mijn schouder. Het is Johnny, die er cool uitziet in een ribfluwelen jasje en een donkere spijkerbroek.

'Hai. Wat ben je laat,' zeg ik, terwijl ik ophang.

'Ach wat, toch nog geen tien minuten?' Hij houdt zijn hoofd scheef, veegt zijn losse krullen uit zijn ogen weg en bekijkt me van top tot teen. Langzaam glimlacht hij. 'Nou, gaan we nog lol maken of ga je moeilijk doen?'

Ik kijk naar de klok die boven de kaartjesloketten hangt. Hij is een halfuur te laat. 'Ik zal lol hebben als jij me die bezorgt.'

'Moet je haar horen,' zegt hij. 'Hallo, het spijt me. Ik ben de tijd uit het oog verloren, nou goed. Heb je trek?' Ik knik.

We gaan naar die strombolitent. Het zit er vol studenten. Het is er donker en lawaaierig en het stinkt er naar bier. We persen ons in een minibox en bestellen. Johnny wil ook een kan bier. De ober vraagt hem om een legitimatiebewijs en hij laat er een zien.

'Dat ging soepeltjes,' zeg ik. 'Waar heb je die vandaan?'

'O, die is niet zo moeilijk te krijgen.' Het duurt niet lang voordat een hulpkelner Johnny's bier brengt. Het schuim klotst over de rand. Johnny grijnst en schenkt onze glazen vol. Mijn cola komt nooit. Het is erg druk en we moeten stiekem het bestek en de servetten van een ander tafeltje jatten, omdat onze ober nergens te bekennen is. Het is zo rumoerig dat we moeten schreeuwen, en Johnny's mobieltje blijft maar overgaan en iedere keer neemt hij op. Ondertussen drink ik mijn glas bier leeg en Johnny vult het weer bij. De derde keer leg ik mijn hand op het glas, maar hij schuift mijn vingers uit elkaar en schenkt met zijn andere hand mijn glas weer vol.

'Linkmiegel,' zeg ik tegen hem. Maar zijn mobieltje riedelt al weer en hij hoort het niet. Ik kijk om me heen of ik Perry zie, maar niets. Rutgers is groot, en ik heb het vreselijke gevoel dat hij misschien ook niet op dat feest zal zijn. Het duurt eindeloos voordat het eten komt, maar ik ben een beetje teut, dus kan het me niet zoveel schelen.

Johnny zegt dat hij zo terugkomt, en ik vraag of ik zijn mobieltje even mag lenen. 'Je moet zorgen dat je er zelf een krijgt,' zegt hij. Pff! Ik bel Perry's mobieltje nog een keer en weer schakelt het over naar zijn voicemail. Door naar zijn stem te luisteren – 'Met mij. Ik bel je terug.' – mis ik hem nog erger dan erg. O, Perry!

'Sorry, sorry,' zegt Johnny, die in de box terugglipt. 'Er gebeurt zoveel.' Ik moet mijn glas leeg hebben gedronken, want hij schenkt het snel weer vol.

'Ik heb genoeg gehad,' zeg ik tegen hem en ik schuif het van me af. Hij glimlacht. Onze kelner smijt onze borden met stromboli op tafel. De Italiaanse broodjes gevuld met mozzarella zijn dampend heet en zo groot als onze hoofden. Ik word altijd blij van eten, dus ik val aan. Ik neem kleine slokjes van het bier, maar dat glas is ook al weer snel leeg.

Johnny betaalt en pas als ik opsta, merk ik dat ik meer dan gloei. Ik ben een beetje dronken als ik naar buiten strompel. Ik wiebel met mijn vingers, omdat het voelt alsof ook zij een beetje dronken zijn. De eerste tussenstop is een vriend van Johnny, in een groot en smerig huis met een woonkamer vol mensen. Er wordt een joint doorgegeven, maar ik hou niet van roken, dus schud ik mijn hoofd. Johnny trekt een lelijk gezicht. 'Dan moet je het zelf maar weten.'

'Dat doe ik ook altijd.' Maar ik glimlach als ik het zeg en Johnny zegt tegen me dat ik een lastige tante ben, waardoor ik met mijn ogen moet rollen. Iemand reikt me een fles bier aan en ik neem een slok. Niemand praat met me, wat ik best vind, denk ik. Ik loop naar de keuken en ga op de tafel zitten. Het is er een rotzooitje met een gootsteen vol borden met opgedroogde tomatensaus. Het is niet mijn bedoeling om de fles bier helemaal op te drinken, maar ik geloof dat ik het toch doe. Er hangt een telefoon aan de muur en ik bel Perry's mobieltje. Deze keer neemt hij op. 'Hallo. hallo.' Er klinkt herrie aan zijn kant en het geluid uit de woonkamer aan mijn kant zweeft de keuken in, en ik flap er bijna uit: 'Ik ben het'. Hij zegt iets tegen degene met wie hij ook mag zijn, maar ik kan het niet verstaan. Dan hangt hij op.

Ik sta het toe dat Johnny een arm om mijn schouders legt als hij me weer snel meeneemt de kou in. 'Wat dacht je van dat feestje?' zeg ik.

'Wat was dat net dan?'

'Daar was geen zak aan.'

'De nacht is nog jong, Olivia.' O, wat haat ik het dat hij me Olivia noemt. 'Waarom dumpen we je skateboard niet op mijn kamer?'

'Ik kan het best meenemen.'

'Dan raak je het kwijt.'

'Ik ben het nog nooit kwijtgeraakt.' Maar hij krijgt zijn zin en we gaan langs zijn kamer, die precies hetzelfde is als die van Perry. Ik zet mijn board rechtop tegen de kast. 'Oké, we gaan.'

'Ga even een minuutje zitten,' zegt hij.

Ik kijk hem streng aan.

'Kom op nou,' zegt hij.

Dus zucht ik en plof in zijn bureaustoel.

'Hoe krijgt een meisje van de middelbare school het eigenlijk voor elkaar om er een hele nacht tussenuit te knijpen?'

'Ik doe het gewoon.'

'Niemand die je op je nek zit? Geen zanikende moeder, geen vader die de klok in de gaten houdt?'

'Mijn moeder is dood, mijn vader kan het niets schelen.'

Hij opent zijn minikoelkast en wipt een blikje bier open. Hij reikt het me aan, maar ik schud mijn hoofd. Hij haalt zijn schouders op en neemt een slok. 'Naar van je moeder.'

'Ik was nog een peuter. Ik kan me haar niet eens meer herinneren. Ze is voor mij alleen maar een begrip, geen persoon. Dat klinkt akelig, maar het is de waarheid.'

Hij haalt zijn schouders op. 'Het klinkt niet onlogisch.'

'Het probleem is,' zeg ik luider dan mijn bedoeling is, 'dat ik gewoon niet weet wat ik van haar moet vinden. Ik heb nooit wat van haar gevonden.'

Johnny kijkt me aan.

'Ik bedoel dat je zei dat het "naar" was, en in theorie is het ook triest, maar wat zou ik moeten voelen? Wie is die persoon? Mama? Wie… Wat? Snap je?'

'Ben je dronken?' Johnny lacht met zijn mond wijd open.

'Iets ben ik in ieder geval.' Ik til mijn voeten op en leg ze op het bed. Johnny geeft me het blikje bier aan, en – ach, wat kan mij het verdommen – ik neem een flinke slok.

'Heb je die paarse bh aan?'

'Dat zou je wel willen weten, hè?'

'Ja.' Hij lacht, en ik ook. 'Kus me, Olivia.'

'Geen zin in.' Ik neem nog een slok en glimlach stralend naar hem. 'Ik bedoel, ik heb er nu geen zin in.' Ik zal hem hoop geven. Waarom in godsnaam ook niet?

'Te dronken om te vrijen?'

'Ik kan heus wel vrijen, dude.'

'Bewijs het maar.'

'Leuk geprobeerd.'

'Je hebt nooit gevraagd waarom ik je heb opgebeld,' zegt hij.

'Vertel het me dan nu maar.'

'Brockner heeft je gedumpt.'

Ik hou mijn hoofd scheef en staar hem net zo lang aan tot hij zijn ogen neerslaat. 'Het ligt ietsje ingewikkelder dan dat.'

'Dat is altijd zo.' Hij glimlacht. 'Ik ben blij je te zien, snap je?' Hij klopt met zijn hand op de matras, dus ga ik naast hem op het bed zitten. 'Ik ben blij dat je gekomen bent.' Hij begraaft zijn neus in mijn haar. 'Je kunt een betere krijgen dan Brockner. Dat sulletje.'

'Een slappeling, dat wel misschien,' zeg ik. 'Maar een sulletje is hij echt niet.'

'Slappeling. Sulletje. Zijden sok. Het is allemaal hetzelfde.' En om een of andere reden klinkt dat grappig. Echt grappig, en we lachen met onze gezichten naar elkaar toe. Ha ha ha. Ik pak zijn biertje en neem nog een flinke slok. Ik ga op het bed liggen, doe mijn ogen dicht en de kamer draait langzaam, langzaam, langzaam, en dat is ergens ook grappig. Ik lach en Johnny kruipt tegen me aan. Sulletje. Ik lach weer. Zijden sok. Ik hoor Perry – onze jonge student Perry: Ik heb het zóóó vreselijk druk. Ik ga over de rooie! Ik doe zóóó mijn best. En dan, in een vloek en een zucht, ben ik hem spuugzat, maar dat is ergens ook grappig. Ik giechel en sta toe dat Johnny me kust. Ik kus hem terug. Alleen deze ene keer. Het telt toch niet. Niet echt. Zijn mond is nat. Te nat. Niet zoals die van Perry. Hij kust helemaal niet zoals Perry. Maar Perry is een sulletje. Een slappeling. Een sul van een jongen.

Johnny geeft me een natte zoen op mijn wang. 'Weet je met wie ons sulletje tegenwoordig gaat?'

'Met Gina,' zeg ik en ik verman me.

'Pardon? Bedoel je dat je dat niet weet? Nou, dan zou ik straks maar eens goed opletten,' zegt Johnny en hij gaat rechtop zitten. 'Kom mee.'

3.10 uur 's nachts

Mijn vingers willen maar niet op de juiste cijfertoetsen drukken en ik moet telkens opnieuw bellen. Hè, eindelijk, maar hij blijft maar overgaan. Ik klungel met mijn sweater, probeer mijn arm in de mouw te krijgen. Dan klinkt Franks voicemail. 'Frank!' schreeuw ik. 'Frank!' Niets. Ik hang op en bel nog een keer. Mijn vingers willen weer niet. Eindelijk.

'Skate?' zegt Frank met een slaperige stem.

'Frank, help me.'

'Skate! Wat is er gebeurd?'

En dan doe ik iets wat ik nooit doe. Ik huil. 'Frank…' De tranen biggelen over mijn gezicht. 'Frank. Kom me halen.'

'Vertel me waar je bent.'

'Ik weet het niet.'

'Ben je dronken?'

'Ik weet het niet.'

'Zit je op de campus van Rutgers?'

'Ja.'

'Kun je bij het station komen? Ik kan je daar oppikken. Het zal me ongeveer anderhalf uur kosten.' Ik hoor de stem van iemand anders en dan fluistert Frank.

'Het station is gesloten. Het is koud buiten, Frank.'

'Luister goed naar me. Loop naar het station, oké? Er is daar vast wel ergens in de buurt een eettent open of zo. Wacht daar. Het is elf over drie. Ik ben daar om, zeg, halfvijf. Ga om halfvijf naar het station. Oké, Skate?'

'Frank...'

'Herhaal het. Herhaal wat ik net tegen je zei.'

Ik herhaal het.

'Oké, goed,' zegt hij. 'Halfvijf, station.'

'Frank, hij houdt van iemand anders. Perry houdt van iemand anders.'

'Heb je geld voor een kop koffie?'

'Mm-mm.' Ik snuif.

'Ga een kop koffie drinken. Eet ook iets. Dat neemt wat van het effect van het bier weg. Is dat wat je hebt gedronken? Ik kom zo snel mogelijk naar je toe.'

Het is koud genoeg om mijn adem te kunnen zien, maar ik voel de kou niet. Ik struikel over een scheur in de stoep. Slaap. Naar huis, alsjeblieft. Maar waar is thuis eigenlijk? Ik loop achter een stel studenten aan en kom in een straat die ik ken. Daar is die eettent van de vorige keer. Ik ga naar binnen, plof neer in een box en leg mijn hoofd op de papieren placemat. De tafel ruikt naar tomatenketchup.

'Hé, ben je soms van plan over te geven?' zegt de serveerster.

'Nee,' zeg ik en ik til mijn hoofd op. 'Koffie en een muffin.'

'Wat voor muffin?'

'Ik weet het niet.'

'Bosbessen, bananen, wortelen, chocolate chip…'

'Ja,' zeg ik.

'Heb je geld?'

Ik trek een biljet van vijf dollar uit mijn zak en ze loopt weg. De koffie wordt gebracht, maar die smaakt ontzettend smerig, dus drink ik hem met liters melk en kilo's suiker. De serveerster komt met een bord vol muffins. 'Wijs,' zegt ze tegen me. Ik wijs naar die met chocola.

'Je moet niet zo veel drinken,' geeft ze me een standje.

Ik strijk mijn haar uit mijn gezicht. 'Kunt u me waarschuwen als het halfvijf is?'

'Heb je geen horloge?' Ik schud mijn hoofd en ze zucht.

Ik leun met mijn hoofd tegen het koude raam en kauw langzaam. Zo nu en dan bijt ik op een plakkerig stukje chocola en dat smaakt zo lekker dat ik wel wéér kan janken.

Er waren heel veel mensen. Er was bier van het vat, dus dronken we nog wat. Een bank. We zaten op een bank. Er was pure whisky. Kamikazecocktails. Als benzine zakte die door mijn slokdarm. Johnny bleef maar proberen me vast te pakken, dwong me hem te kussen. Eerst was het een grap, later niet meer. We dwaalden door kamers, en toen zag ik hem. Perry en dat blonde meisje. Dat blonde meisje dat zo aardig en zo doodgewoon als een aardappel is. Zij is het. Perry had zijn arm om haar heen geslagen. Ze dronk haar drankje met een rietje en draaide het rond in haar bekertje, terwijl ze glimlachend opkeek naar Perry. Als ze glimlachte, was ze niet zo doodgewoon. Niet echt. Ze glimlachte terwijl ze hem recht aankeek. Echt waar. Hij glimlachte terwijl hij haar aankeek. Daarna kuste hij haar, langzaam, lief. Ik hield hen in de gaten, en Johnny hield mij in de gaten. 'Brockner, ons sulletje,' fluisterde hij in mijn oor. 'Eleanor is net zo opwindend als een vals gebit in een glas water.' Vanaf de andere kant van de kamer zag ik hoe ze samen lachten. O, hoe vaak heb ik Perry's blije gezicht niet gezien? Ze hield haar doodgewone blonde hoofd naar hem op en hij glimlachte naar haar. Daarna tilde hij haar in zijn armen op van de grond en knuffelden ze met elkaar. En toen ze daarmee ophielden, bleven ze in een innige omhelzing staan. Een hele tijd. Perry gaf haar een kus op haar blonde haar. Hoe vaak heeft hij mijn haar niet gekust? Zo vaak. Johnny gaf me een por in mijn zij. 'Laten we hem ook iets geven om naar te kijken.' Johnny propte zijn tong in mijn mond.

'Hou op,' zei ik. Maar het was moeilijk om hem te weerstaan, dus boog ik me naar hem toe. 'Laten we gaan zitten, Johnny.' Maar er was nergens plek om te zitten. Johnny trok me mee naar boven, zigzaggend tussen de jonge mensen door die op de trappen zaten. Ik bleef maar tegen hem aan vallen. Boven trok hij me een badkamer in. Ik ging op de rand van de badkuip zitten, liet mijn hoofd tussen mijn benen hangen en werd duizelig. Johnny kwam naast me zitten en legde zijn arm om me heen. 'Je gaat nu toch niet maffen, hè?'

'Laten we gaan.'

'Kus me.'

'Ik voel me niet zo lekker.'

'Doe niet zo kinderachtig.' Hij stopte zonder pardon zijn hand onder mijn sweater. 'Laat me die paarse bh zien.'

'Rot op.' Maar hij hield me stevig vast en ik kon me niet losrukken. Ik voelde me zo licht en zwak als een jong poesje. En samen zakten we neer op het smerige gele kleedje voor het bad. Hij rukte mijn sweater over mijn hoofd uit. Heb ik geschreeuwd? Ik geloof het wel. Hij maakte mijn bh los. En toen zat ik daar halfnaakt voor een jongen die ik niet kende en die ik niet aardig vond. Terwijl beneden de jongen van wie ik hield van een ander meisje hield. Johnny raakte me aan en kneep me en liet zijn handen over mijn hele lijf glijden, kuste me met die natte mond, terwijl ik me in bochten wrong en probeerde hem van me af te duwen. Iemand bonkte op de deur en toen Johnny zich even omdraaide, griste ik mijn sweater van de grond, duwde me langs hem en rende halfnaakt langs twee jongens de badkamer uit. Ik rende naar het einde van de gang en een slaapkamer in, en daar ontdekte ik een telefoon. Trillend en morrelend aan mijn bh belde ik Frank.

Om halfvijf wijst de serveerster naar haar horloge. Ik laat het vijfdollarbiljet voor haar op tafel liggen. Het is nog steeds donker als ik me naar het station haast en daar staat Franks pick-uptruck langs de stoeprand geparkeerd. Hij stapt uit. En ik storm op hem af en gooi me tegen hem aan. Ik denk dat ik huil, maar dat doe ik niet. Frank slaat zijn armen om me heen.

'Gaat 't?'

Ik knik. 'Mijn skateboard staat nog op de kamer van die gozer. Ik moet mijn board hebben.'

'Wat voor gozer?'

'Gewoon een gozer.' Dan barst ik in tranen uit.

'Heeft hij je pijn gedaan?'

Ik zwaai met mijn hand. 'Mijn board, Frank.'

'Heeft hij je aangeraakt?'

Ik leg mijn hand voor mijn mond.

'Ik vermoord hem.'

'Mijn board, Frank. Zorg alleen dat ik het terugkrijg.'

We rijden naar het studentenhuis. Ik ken de weg. Frank bonkt op Johnny's deur. 'Doe open,' zegt hij. 'Nu.' Ik hoor Johnny binnen. 'Man, open die deur of ik ram hem tegen de vlakte.' Johnny, halfslapend in een t-shirt en een pyjamabroek, zwaait de deur open. 'Geef me dat skateboard,' zegt Frank.

Johnny geeft het hem, kijkt de hele tijd naar mij en zegt dan: 'Ik zou maar weer snel met je middelbareschoolvriendjes gaan spelen, grietje.'

'En ik zou jóú tegen de vlakte moeten rammen,' zegt Frank. Ik steek mijn middelvinger naar Johnny op.

We zeggen niet veel tegen elkaar, Frank en ik. Hij heeft de classicrock-zender zachtjes gezet. Als we terug zijn in Mermaid, rijdt hij regelrecht naar zijn huis en maakt met lakens en de zachte blauwe deken een bedje voor me klaar op de bank. Uit de gangkast haalt hij het kussen.

'Het spijt me zo, Frank,' fluister ik.

'Mij ook,' zegt hij terwijl hij even naar me kijkt.

Ik kruip tussen de lakens en voel me duizelig wanneer ik mijn ogen dichtdoe, alsof het allemaal niet echt gebeurt. En als ik wakker word, is het misschien ook niet gebeurd.

'Frank,' zeg ik.

'Ga slapen, Skate.'

'Kan ik niet.'

'Sssssst…'

'Zeg niet tegen me dat ik stil moet zijn.'

'Dat heb ik net gedaan. Ga slapen.'

'Ik kan het niet.'

'Ja, dat kun je wel. Sssssst…'

'Hou je mond, Frank!' gil ik, alsof hij degene is op wie ik boos ben.

'Wat bezielde je in hemelsnaam?' schreeuwt Frank terug, die plotseling dreigend naast me opdoemt. 'Je schijnt het niet te weten, maar je bent nog steeds een kind, hoor. Kijk me aan. Je had daar niets te zoeken. Helemaal niets.'

'Je gaat nou niet ineens hoog van de toren blazen, hoor!' schreeuw ik.

'Luister, die viespeuk had je wel… Hoor eens, je weet geen ene mallemoer van de wereld af.'

'Alsof jij dat wel weet! Jij houdt het nooit lang met één vriendinnetje uit. Jij jaagt ze er als M&M's doorheen. Ik heb een relatie gehad. Een

heel jaar lang. Ik was een heel jaar lang met Perry. Ik had... Ik had...'
Maar dan begin ik te snikken, echt te snikken. Frank gaat op het randje van de bank zitten. De tranen lopen uit mijn ogen en neus, dus ik zie er vast niet uit. Zelfs mijn haar wordt nat. Als ik weer op adem ben gekomen, geef ik hem een zet. 'Wat weet jij nou van de liefde af?'

'Ik ben niet helemaal van gisteren, Skate,' zegt hij zachtjes.

'Sorry.' Ik rol me tot een balletje op, waardoor ik het laken met mijn wang nat maak. Ik pak Franks pols. 'Perry houdt van een ander, hij houdt van een ander.' Als ik mijn ogen dichtdoe, draait de kamer langzaam rond als in een droom. 'Hij houdt van een ander.'

'Zeg nou maar niks meer, LD. Laat mij voor je zorgen.' Frank trekt me bij zich op schoot en houdt me vast.

'Hij houdt van een ander,' fluister ik telkens weer.

We blijven zo een hele tijd zitten. Rustig ademhalend zakken we steeds dieper in de kussens weg. Frank ruikt naar slaap en ik kruip dicht tegen hem aan. En ik wou dat ik in slaap viel.

Rosie

'Het is Gus,' zegt Angie zonder geluid te maken, haar hand over de hoorn. Ik schud mijn hoofd. 'Kom op nou,' fluistert ze. Angie kijkt me met een droevig gezicht aan, maar ik ben niet te vermurwen. Ik val aan op mijn appeltaart. 'Eh, sorry, ze is er niet. Moet ze je terugbellen? Oké. Dag.' Ze hangt op en komt in de stoel naast me zitten. 'Ga je dat allemaal opeten?' Ik schud mijn hoofd en ze prikt een stuk taart aan haar vork.

'Wat moest hij?' vraag ik.

'Wat denk je? Waarom ga je niet meer naar de praatgroep?'

'Omdat het niet helpt.'

'Kom nou toch, Rosie…'

Ik neem een hapje van de korst. 'Ik moet erin geloven en dat doe ik nu niet.'

'Gus klinkt wel aardig. Is hij dat ook?'

Ik glimlach, alleen al omdat ik aan hem denk. 'Ja.'

'Is er iets vervelends tussen jou en Nick voorgevallen?'

Ik duw het bord naar haar toe en ze begint te eten. 'Nee, hoezo?'

'Ik weet het niet. Hij komt hier niet meer zo vaak.'

Ik wilde dat ik het Angie kon vertellen, maar ik kan het niet. Dat niet.

'Oké, meisje. Dan noemen we je voortaan maar de oester,' zegt ze met een bandietenstem. 'Een oester verklapt nooit wat.' Ik glimlach en sla mijn ogen ten hemel. De telefoon gaat weer, en heel even voel ik iets van hoop dat het Nick zal zijn.

'Oom Harry. Hallo!' zegt Angie en haar ogen worden groot.

O nee, toch niet mijn vader! Ik schud mijn hoofd heel snel heen en weer.

'Rosie... nou, even kijken. Een momentje.' Ze legt haar hand weer over de hoorn en kijkt me smekend aan. 'Rosie,' fluistert ze, 'hij is zijn bezoekrecht kwijt. Meer dan dit krijg je niet.' En deze keer schud ik mijn hoofd heel langzaam. 'Zeg dan alleen even gedag,' zegt ze met klem.

Geen denken aan. Ik loop de trap op naar mijn kamer en hang uit het raam, kijk naar de zee. Mijn haren zwiepen als een idioot om mijn hoofd. Het voelt goed om kwaad op hem te zijn, en tegenwoordig kan ik onmiddellijk kwaad op hem worden zodra ik denk aan het geld in mijn sokkenla, de hoestsiroop, zijn beloftes, zijn flessen Old Crow... zo veel dingen.

Even later komt Angie binnen en ploft naast me neer. Haar Cleopatra-haar waait tegen mijn wang. Ze ruikt naar kaneel en lipgloss met aardbeiensmaak. 'Jeetje, wat is het koud,' zegt ze na een tijdje. Ik doe het raam dicht en samen zitten we op mijn bed te rillen.

'God, Rosie,' zegt ze, terwijl ze mijn quilt over haar schouders gooit. 'Je doet nu precies hetzelfde als ik heb gedaan... Weet je, toen dat allemaal met je vader gebeurde en mijn vader me opbelde en vroeg of ik hierheen wilde gaan en een poosje bij jullie wonen, greep ik die kans met beide handen aan. Ik liet de boel de boel, liet alles achter, inclusief mijn vriend.'

'Je hebt helemaal niet verteld dat je een vriend hebt.'

'Nou ja, die had ik. We hadden problemen. Maakten veel ruzie. Hij zei dan altijd dat we er misschien maar een punt achter moesten zetten. En dan zei ik "ja, misschien moeten we dat maar doen." Maar dat deden we niet. Hij is een flirt. Hij houdt ervan om de hort op te gaan.

En ik… ik hou ervan om thuis te blijven, te koken, films te huren, rond te hangen, dat weet je. Ik denk dat we niet zo goed bij elkaar pasten, maar ik hield wel van hem… misschien zelfs nu nog.' Ze zucht en rolt zich op mijn kussen op. 'Toen ik dat telefoontje van mijn vader kreeg, ben ik 'm gesmeerd. Ik had mijn flat binnen tien minuten onderverhuurd, nam verlof bij de kapsalon waar ik werkte, laadde mijn auto vol en weg was ik richting New Jersey. Ik heb zelfs geen afscheid van Steve genomen. Ik heb een geel plakbriefje op zijn voorruit achtergelaten. Aardig, hè?'

'Je moet hem bellen.'

'Ik weet het! Maar waarom doe ik het niet? Omdat ik een dikke, vette lafbek ben. Ik heb geen zin om iets aan die rotzooi te doen. Hij is vast pisnijdig en zal er definitief een punt achter zetten.'

'Je lijkt me helemaal geen lafbek.'

'Nou, dat ben ik wel.'

'Zeg je nou tegen me dat ik ook een dikke, vette lafbek ben?' vraag ik, terwijl ik met mijn hoofd over de rand van het bed hang.

'Ik zeg helemaal niets, meisje,' zegt ze, terwijl ze me een vriendschappelijk trapje tegen mijn scheenbeen geeft.

De deurbel rinkelt. Het is een grote, ouderwetse bel die hard genoeg galmt om hem overal in huis te kunnen horen. We kijken elkaar aan. Bijna niemand gebruikt ooit de voordeur. We lopen allemaal via de keukendeur naar binnen en naar buiten. Angie rolt van het bed. 'Jij bent vast niet van plan om naar beneden te hollen en open te doen, hè? Maar je bent wel jonger en magerder en sneller dan ik.'

Dus raap ik mijn jonge, magere, snelle zelf bij elkaar en stuif naar beneden, in de wetenschap dat het Nick in ieder geval niet kan zijn. Hij zou op het keukenraam tikken. Ik heb twee handen nodig om de piepende deur te openen, en daar staat Gus, glimlachend en blij me te zien.

'Gus!' zeg ik opgewekt. Ik stort me zowat op hem en we knuffelen elkaar.

'Rosie, hallo.'

'Wil je binnenkomen?' Hij knikt. Ik breng hem naar de keuken en zeg dat hij moet gaan zitten. Ik open kasten en ben druk in de weer om warme chocolademelk te maken.

'Wat een fantastisch oud huis,' zeg hij.

'Ja. Maar het begint wel langzamerhand uit elkaar te vallen. Het is nu donker, daarom zie je dat misschien niet.' Ik neem een lik van de spuitslagroom en voel me zenuwachtig nu Gus tegenover me zit.

'Waarom kom je niet meer naar de praatgroep?' Gus kijkt me vreselijk serieus aan. Zijn ogen zijn in het licht van de keukenlampen bijna kleurloos: grijs of groen of zoiets.

Ik haal mijn schouders op.

'Kom op, vertel. Het laatste nieuws over je vader weet ik al.'

'Ik heb het druk gehad, Gus.'

'Met wat?' vraagt hij en hij slurpt aan de chocolademelk.

'Met van alles.'

'Wat dan precies?'

'Hé, wil je een rondleiding?' vraag ik, terwijl ik mijn mok neerzet. 'Wil je het hele huis zien?'

'Oké, waarom niet.' Dus begin ik op de benedenverdieping, neem Gus mee naar alle kamers, zelfs naar de ruimtes die we niet gebruiken, zoals de grote woonkamer. Ik wil wedden dat als we op de tot op de draad versleten bank zouden gaan zitten, er een wolk stof zou opstuiven. Ik neem hem zelfs mee naar het grappige hokje met al die haken aan de muur. Daarna gaan we naar de eerste etage en laat ik hem de grote badkamer zien met het chique bad met klauwpoten. Daarna laat ik hem de slaapveranda aan de voorkant van het huis zien. Die is lang en smal en heeft zes slaapplaatsen. Mijn vader en oom en hun neven en nichten sliepen daar als kinderen vroeger in de zomer, en Skate en ik vonden het ook leuk toen we klein waren. Ik geloof dat die kribben al jarenlang niet meer zijn gebruikt. Ik wijs naar de kamer van mijn vader en dan naar die van

Angie. Zacht licht en het liedje 'What a Wonderful World' komt onder de deur door.

I see skies of blue, clouds of white
Bright blessed days, dark sacred nights...

We staan een minuut in het halfdonker te luisteren, en als onze ogen elkaar ontmoeten, glimlachen we naar elkaar. Daarna zetten we koers naar de tweede verdieping, waar ik de deuren van mijn en Skates kamer opengooi, zodat hij onze uitzichten op de oceaan kan zien. En ik neem hem mee naar de rommelkamer, die volgestouwd staat met allerlei meubels en waardeloze spullen, maar ook met antiek. Soms vind ik het fijn om daar heen te gaan om na te denken. Ik ga nu op een bijzettafeltje voor het raam zitten. Er drijven een paar boten in de baai, die langzaam varen door de mist heen. Gus gaat op een wiebelende, houten tuinstoel tegenover mij zitten en grijnst terwijl hij heen en weer wipt. Er is geen elektriciteit in de kamer, dus steek ik met een lucifer de kaars aan die ik hier heb neergezet, en we kijken elkaar over de vlam heen aan.

'Vertel me wat er mis is,' zegt hij.

'Alles,' zeg ik.

'Vertel maar.'

Ik schud mijn hoofd.

'Alsjeblieft.'

Het gaat om de manier waarop hij 'Alsjeblieft' zegt, zo zachtjes en kalm. Zo aardig. Zijn lichte ogen zijn strak op me gericht, over de kaars heen. Ik klauter naar hem toe en kniel neer met mijn handen op zijn knieën. 'O, Gus,' zeg ik. Hij legt zijn handen op de mijne. Ze zijn warm en groot. 'Zal altijd alles zo moeilijk blijven? Altijd alles?' vraag ik en mijn stem slaat over.

'Ik denk het niet, Rosie.'

'Maar als hij nou nooit stopt met drinken?'

'Dan stopt hij nooit met drinken.'

'Maar als ze hem nou weer in de gevangenis gooien?'

'Dan wordt hij weer in de gevangenis gegooid.'

'Maar als hij nou doodgaat?'

'Dan gaat hij…'

'Schei uit.' Ik duw me van hem af en ga op de grond zitten, en Gus glijdt van de stoel af en komt naast me zitten.

'Zo bedoelde ik het niet,' zegt hij.

Ik sla mijn armen om hem heen en begraaf mijn gezicht in zijn warme nek. En dan geef ik hem zomaar ineens een kus, op zijn lippen. En ik voel zijn verbazing, voel dat hij verstrakt, dus trek ik me terug en ik kruip in elkaar, ga met mijn armen om mijn benen zitten.

'Vind je me aardig?' vraag ik, starend naar mijn knieën.

Gus probeert mijn hoofd op te tillen zodat ik hem kan aankijken, maar hij krijgt me niet zo ver. 'Ik mag je heel erg graag.'

Ik doe mijn ogen dicht, begrijp het. 'Als persoon, bedoel je? Als een vriendin.'

'Ja.'

'Heb je een vaste vriendin?'

'Ja. Anita. Zo heet ze. Ik heb haar op een bijeenkomst ontmoet. Zij studeert ook.'

'Anita,' zeg ik en ik probeer me een voorstelling van haar te maken. 'Is het makkelijk om met haar te praten?'

'Ja.'

'Is ze je beste vriendin?'

'Ja.'

'Is ze mooi?'

Hij lacht zachtjes. 'Nou, ik vind van wel.'

'Blond of bruin?' Ik kijk even stiekem naar hem. 'Sorry, ik wil me gewoon een beeld van haar vormen.'

'Ze heeft zwart haar. Lang. Ze is West-Indisch.'

'En iemand in haar leven is een alco?'

'Dat klopt.'

'Wat zeg je me daarvan,' zeg ik rustig.

'Ja,' zegt Gus. 'Wat zeg je me daarvan.'

Ik haal even diep adem en voel me klam en warm en raar duizelig. Gus staat op en gaat weer in de wankele tuinstoel zitten. Ik leun met mijn hoofd tegen zijn knieën.

'Mijn vader heeft gebeld,' zeg ik. 'Ik wil niet met hem praten. Ik kan het niet.'

'Prima.'

'Dus dat is wat je bedoelt met loslaten. Maar toch... ik kan het niet laten om te denken dat als ik het echt loslaat, dat dan alles in elkaar stort.'

'Nee, hoor. De waarheid is dat jij niet degene bent die alles overeind houdt. Laat hem maar zwemmen of verzuipen.'

'Zwemmen of verzuipen.'

'Ja.'

'Oké.'

Ik wil niet in beweging komen – nog niet – dus zitten we daar met de flakkerende kaarsvlam en de wind die de ramen doet rammelen.

'Hoe maak je iets ongedaan, Gus?'

'Hoe bedoel je?'

'Laten we zeggen,' fluister ik, 'dat je iets hebt gedaan wat je niet van plan was te doen en nu voelt alles verpest. Kun je het dan ongedaan maken?' In de baai vaart een eenzame boot terug naar de jachthaven, zijn lichtjes wazig in de mist.

'Ik weet het niet...' zegt Gus, terwijl hij met zijn hand mijn haar streelt.

'Kom op.'

'Waar hebben we het over?'

Maar dat kan ik hem niet vertellen. 'Kom op,' zeg ik. Ik kijk even naar hem op. 'Kun je iets ongedaan maken?'

'Denk je soms dat ik alles weet?'

'Vaak wel,' zeg ik. 'Jij niet dan?'

'O, alsjeblieft...' zegt hij en hij glimlacht naar me. 'We hebben het over Nick, hè?' Maar daar kan ik geen antwoord op geven. Dat kan ik écht niet.

Pas op woensdag krijg ik Skate eindelijk weer eens te pakken. Tijdens de middagpauze op school. Ze zit buiten in haar eentje aan een tafel appelsap te drinken. Ik kijk door het raam naar haar en kan zo zien dat het uit is met Perry. Het is aan iedere centimeter van haar lichaam te zien. Het gaat om de manier waarop ze stilzit, als een standbeeld – Skate die normaal altijd in beweging is. Alsof ze me hoort, zwaait ze haar haren uit haar gezicht en neemt een slok van haar sap.

Ik haast me naar haar toe en vraag: 'Hé, waar heb jij al die tijd uitgehangen?'

'Ik moet dezelfde ziekte hebben gehad als jij.'

'Is het waar van jou en Perry?' vraag ik terwijl ik naast haar op de bank ga zitten.

'Daar kan ik hier niet over praten.'

Daarom rijden we na schooltijd samen met de bus terug en springen er in de Heights uit. Eerst denk ik dat we naar de speelhal gaan, maar we lopen verder over de promenade waar de zeemeeuwen boven onze hoofden krijsen. Captain's Saloon is zo goed als leeg. We gaan aan de bar zitten en bestellen allebei een cola.

'Vertel het me nou, Skate.'

'Ik overleef het wel,' zegt ze.

'Waarom doe je nou zo?' vraag ik.

'Ik zeg het gewoon zoals het is.'

'Ik heb zo vreselijk met je te doen,' zeg ik.

'Wil je daar alsjeblieft mee ophouden?' Ze kauwt verwoed op een ijsblokje.

'Doe toch niet zo stoer,' zeg ik. 'Zou het niet kunnen dat jullie gewoon wat tijd nodig hebben om aan de situatie te wennen?' Skate schudt haar hoofd, en ik krijg het warm en voel me trillerig. 'Nou ja, ik vind het vreselijk. Echt waar. Ik mocht Perry graag, en jij en hij samen zag ik ook heel erg zitten, en ik voel me gewoon zo…' Skate staart me aan, haar ogen groot en uitdrukkingsloos. 'Oké, ik hou mijn mond wel,' zeg ik. Ze laat haar hoofd in haar handen zakken, wrijft over haar gezicht en glimlacht naar me alsof ze aan het eind van haar Latijn is, wat me bijna aan het huilen maakt. 'O, Skate,' zeg ik en ik raak even haar arm aan.

'Wat is er met jou aan de hand?' zegt ze, terwijl ze me met een schouderbeweging van zich af schudt.

'Ik ben met Nick naar bed geweest,' flap ik eruit.

'Jij?'

'Hoezo "jij"?'

Ze schudt haar hoofd. 'Zo bedoelde ik het niet.'

'Nou ja, we hebben het gedaan, en nu weet ik het gewoon niet meer. Ik weet het niet meer.'

Tijdens het vierde lesuur staarde ik bij meetkunde naar zijn achterhoofd, wilde zo graag dat hij zich omdraaide zodat ik kon glimlachen. Maar hij deed het niet. Na de les wachtte hij me op in de gang, leunend tegen de muur. 'Hallo,' zei hij toen ik naar buiten kwam.

'Hai,' reageerde ik, maar toen kon ik niks meer bedenken om te zeggen en liepen we als twee doofstommen samen naar de volgende les, de stilte tussen ons zo oorverdovend dat het leek of mijn oren met nat cement zaten dichtgestopt.

'Oké, vind je hem leuk?' vraagt Skate.

Ik knik.

'Nou, dan is het toch goed.'

Ik schud mijn hoofd. 'Ik zou het eigenlijk ongedaan willen maken…'

'Was het niet veel soeps?' fluistert ze.

'Hoe bedoel je?'

'Was hij vreselijk onhandig? Was het niet fijn?'

'Het was fijn, maar… Ach, het zal wel aan mij liggen.' Ik roer met mijn rietje in mijn glas cola. 'Ik kan het niet uitleggen.'

Skate kijkt me aan alsof ze zich een oordeel over me wil vormen. 'Het klinkt mij alsof het te snel is gegaan. Dat je er nog niet aan toe was. Zeg dat tegen hem. Dat is alles.'

'En dan?'

'Hoezo "en dan"? Je kust en je rommelt, maar je neukt niet met hem tenzij je het wil.'

'Uit jouw mond klinkt het alsof het allemaal heel simpel is.' Ze staart me aan, begrijpt het niet. 'Er is maar één eerste keer, ja toch?' vraag ik.

'Doe het nou gewoon wat rustiger aan, Rosie,' zegt Skate vriendelijk, met haar hand op mijn knie. 'Het komt wel goed.'

'Hé, meiden,' zegt Mikey, die door de deur van de keuken het café in loopt. 'Moeilijke dag op school gehad? Moeten er even een paar stevige borrels achterover worden geslagen?'

'Ha ha,' zegt Skate.

'Ik jen je gewoon graag,' zegt hij tegen haar.

'Daar heb ik geen enkele behoefte aan, dude.' Ze jaagt hem met haar hand weg. 'Rot op met je gejen…'

'Ach, kom nou toch, het is maar een onschuldig plagerijtje. Jezus, wat zijn jullie zwaar op de hand,' zegt hij, terwijl hij ons aandachtig bekijkt. Skate trekt een lelijk gezicht. 'Maar ik heb ook zo mijn problemen,' zegt hij. 'Kennen jullie iemand die een puppy wil hebben?'

'Wie heeft er een puppy?' vraagt Skate, die opveert.

'Ik. Twee.' Mikey heeft een oude doos van een airco uit de keuken meegenomen. 'Mijn hond is zwanger geraakt en ik was echt woest. En nu zit ik dus met Jelly en deze twee opgescheept. Ik moet ze ergens onderbrengen, anders gaan ze naar het asiel.'

'Het asiel!' roept Skate.

'Hé, rustig aan, dude. Het zijn puppy's. Er is vast wel iemand die ze wil hebben. En Jelly heeft nu ook nog een tepelinfectie gekregen. Een tepelinfectie! Mijn hond! Ik pas nu op de kleintjes, omdat zij bij de dierenarts is. Dat gaat me ongeveer tweehonderd dollar kosten. Tjonge, wat baal ik daarvan.'

'Mogen we de puppy's zien?' vraagt Skate, die al over de bar hangt en er opgewonden en blij uitziet.

'Ja, oké.' Mikey trekt een zwart balletje uit de doos en houdt het mijn kant op. Als ik mijn handen tot een holletje vouw en het overneem, begint het ineens zachtjes te jammeren en ik schrik. Ik geef het door aan Skate en ze tilt zijn snuitje tot vlak bij haar gezicht op, de rest van het beestje hangt over de rand van haar hand. 'Hai, droppie,' zeg ze.

'Ze beginnen net wat rond te springen en met hun staart te kwispelen,' zegt Mikey. 'Voordat hun ogen opengingen, waren het de godganse dag slapende bolletjes wol. Ze slapen nog steeds veel. Man, wat een leven.'

Skate stopt de pup aan de voorkant in haar sweater. Zijn slaperige snuitje rust op de bovenste knoop. Ze aait hem met één vinger over zijn kopje.

'Kijk uit,' zeg ik. 'Straks moet-ie plassen.'

'Hoeveel plas kan er nou in zo'n beestje zitten?' Ze lacht. 'Moet je toch zien.' De puppy gaapt en lijkt te zuchten. 'Wanneer kan ik ze meenemen?' zegt ze tegen Mikey.

'Skate!' roep ik.

'Binnenkort,' zegt hij. Zijn gezicht klaart op.

'Frank vindt er vast niks aan,' zegt Skate tegen mij. 'Maar ik wil wedden dat Angie het vet gaaf zal vinden. Aan ons huis valt toch niks meer te mollen.' We lachen.

'Je komt weer thuis wonen!' zeg ik, ineens net zo opgewonden en blij als zij.

Skate

Ik geloofde niet dat ik het aankon. Maar ik kan het aan. Op de een of andere manier. Het is een stralende en warme dag vandaag, meer alsof het een dag vroeg in de herfst is dan een dag in november. Dus rijd ik naar huis en haal mijn surfplank en wetsuit uit de schuur. De golven zijn ook heel behoorlijk en terwijl ik surf, zie ik Julia over het strand lopen, haar rode haar opvlammend onder de zonnige hemel. Ik heb haar teruggebeld. Uiteindelijk heb ik dat gedaan. We hadden niet veel tegen elkaar te zeggen. 'Beloof je me dat je langskomt?' vroeg ze.

'Ja,' zei ik, maar dat heb ik nog steeds niet gedaan. Ze had zelfs een bak mac 'n cheese bij ons thuis afgeleverd. Angie belde me in de speelhal om het me te vertellen. Angie is erachter gekomen hoe mijn situatie in elkaar zit – dat ik bij Frank logeer – en ze zette me schaakmat toen ik bezig was de macaroni op te warmen.

'Wat dacht je ervan om weer thuis te komen wonen, Skate?'

Ik haalde mijn schouders op.

'Er staat boven een fatsoenlijk bed voor je klaar. Waarom zou je dat niet gebruiken? Rosie mist je, weet je dat?'

Ik glimlachte maar hield mijn smoel. Ik wilde haar niets over de puppy's vertellen en over mijn plannetje om uiteindelijk samen met hen naar huis terug te komen.

Julia loopt op de rand van het water af en hurkt neer terwijl ze haar ogen tegen het licht afschermt. Ik neem nog een paar golven en laat me dan naar het strand drijven. Ik zet mijn surfplank vast in het harde natte zand en plof naast haar neer.

'Hoe is het water?' vraagt ze, terwijl ze even naar me kijkt.

'Heel goed vandaag.'

'Ik vind het leuk om naar je te kijken. Hoe komt het dat je op die langzame golven niet omkiepert?' Ze lacht. 'Je hebt feeling voor slow-motionsurfen.'

'Ik val soms wel,' zeg ik.

'Ja, natuurlijk.'

Ik zet mijn kap af en veeg de paar plukken natte haren weg die aan mijn gezicht en mijn hals plakken.

'Ik denk dat het echt beter is zo, Skate.' Ze knijpt haar ogen tot spleetjes alsof het pijn doet om het te zeggen. 'Perry ging nieuwe avonturen tegemoet en het was alsof jij alleen maar kon wachten. Ik vond het verschrikkelijk om jou zo te zien wachten.'

Ze probeert me alleen maar een beter gevoel te bezorgen. Dat weet ik. Ik doe mijn rubberschoentjes uit en begraaf mijn voeten in het koude zand. 'Ik zal nooit meer iemand ontmoeten op wie ik zo dol was als op Perry.'

'Dat denk je alleen maar omdat je diegene nog niet hebt ontmoet.'

'Er lopen enorme zakkenwassers op de wereld rond, Julia.' Ik wil niet huilen, maar de laatste tijd moet ik soms zomaar janken. Niet snikkend, dat niet bepaald, maar één eenzame traan glipt er dan uit en rolt over mijn wang. Ik laat mijn haar voor mijn gezicht vallen om het te verbergen. We zeggen niets en daarom mag ik Julia ook zo graag. Sommige moedertypes zouden zo'n gelegenheid aangrijpen om jou naar zich toe te trekken, je een zoen te geven en je te vertellen hoe bijzonder je bent, of wat voor stom geouwehoer ook. Maar Julia blijft gewoon naast me zitten terwijl ik weer tot mezelf kom. Al snel zijn mijn ogen weer droog en kijk ik op, veeg mijn neus af. 'Is hij blij... met zijn nieuwe vriendin?'

'Hij heeft niet veel over haar verteld. Echt niet.'

'Denk je dat ik Perry te veel heb lastiggevallen met de Ouwe Kraai? Dat ik altijd over hem zat te klagen en zo...'

'Iedereen heeft problemen, meissie. Dat moet je niet denken.'

'Niet iedereen heeft een vader die in de gevangenis zit.'

Julia geeft me een klopje op mijn knie. 'Op een dag mis je Perry niet meer zo erg.'

'Misschien wil ik dat wel helemaal niet,' zeg ik. 'Is dat eigenlijk ooit wel eens in je hoofd opgekomen?' Het is mijn bedoeling niet om zo lullig te doen, maar ik voel mezelf langzaam kwaad worden. Wat weten Julia of wie dan ook daarvan af? Hoe kan wie dan ook weten hoe het tussen ons was?

'Je hebt volkomen gelijk,' zegt Julia, die over de golven uitkijkt. 'Misschien ben je er nog niet aan toe om...'

'Laat me niet lachen, zeg!' Ik spring overeind en pak mijn surfplank. 'Die is goed...'

'Skate, als ik ook maar iets kon doen om je een beter gevoel te bezorgen, dan zou ik dat onmiddellijk doen.'

'Jammer dan, maar dat kun je niet,' zeg ik zachtjes.

Julia gaat staan en veegt het zand van haar kont. 'Wil je in het weekend van Thanksgiving alsjeblieft even bij ons langskomen? Perry zal er dan ook zijn.'

'Misschien.' Maar ik geloof niet dat ik dat zou kunnen.

Ik ga iedere dag bij de puppy's langs – het zijn een mannetje en een vrouwtje. Mikey geeft me zelfs een sleutel van zijn huis, zodat ik even langs kan wippen als hij aan het werk is. Als de puppy's me zien, springen ze tegen de rand van hun geïmproviseerde nest op, met heldere oogjes en kwispelende staartjes. Als ik ze uit de doos laat, rennen ze rondjes door de kamer. Zo nu en dan stoppen ze om met hun kleine pootjes tegen me op te springen. Jelly is veel rustiger. Ze kuiert op me af, snuffelt aan me en geeft me een lik, terwijl de jonkies onder haar dansen en springen.

Ik heb ze naar de vuurtorens genoemd: de Old Barney aan de noordkant van het eiland en de Lorry Lee aan de zuidkant. Ze heten dus Barney en Lorry.

Op een zonnige dag neem ik Jelly, Barney en Lorry mee naar het strand. De pups zijn eerst een beetje schichtig, omdat het hun eerste, uitgebreide blik op de grote wijde wereld is. 'Hup,' zeg ik tegen ze als ze me aanstaren. 'Kijk om je heen. Ontdek de wereld.' En als ze eenmaal vertrouwd zijn geraakt met het zand, jagen ze al snel achter elkaar aan en springen naar de meeuwen in de lucht. Maar grappig genoeg willen ze niet op hun kontjes op het zand gaan zitten. Nadat ze zichzelf hebben uitgeput, wat niet zo lang duurt, persen ze zich op mijn schoot.

Meestal ga ik na schooltijd bij de pups langs en rij daarna naar de speelhal, als ik moet werken, of naar Franks huis om mijn huiswerk te maken, als ik niet hoef te werken. Soms ga ik naar huis en hang wat rond met Rosie en Angie. Ik heb Angie nog steeds niet over de pups verteld – over mijn plannetje om ze mee naar huis te nemen – maar ik maak me er geen zorgen om.

Maar Frank vertel ik het wel. We zitten op de bank vanille-ijs te eten en te kijken naar een herhaling van *Scrubs*, wanneer ik hem vertel dat Mikey heeft gezegd dat ik de puppy's morgen mag meenemen nadat hij bij de dierenarts is geweest. 'Dus dan pak ik mijn biezen.'

'Waar ga je dan heen?' vraagt Frank, die zijn kom neerzet.

'Terug naar huis.'

'Echt waar? Waarom?'

'Nou ja, ik dacht dat jij het niet goed zou vinden als ik hier samen met twee pups zou wonen.'

'Ik had me er net op ingesteld dat je ze hier mee naartoe zou nemen.'

'Echt waar? Ik had me erop ingesteld dat je dat nooit zou zien zitten.'

'Hoor eens,' zegt hij, terwijl hij zijn Yankees-pet afzet en op zijn hoofd krabt, 'waarom niet? Bovendien hou ik van honden en zij van mij. Maar jij ruimt de stront op.'

'Meen je dat echt?' Ik glimlach lang en wezenloos naar Frank. 'Ik heb net je laatste vriendin weggejaagd en nu kom ik met een stel puppy's thuis en dat vind je cool?'

'Je hebt haar niet weggejaagd. Het is gewoon als een nachtkaars uitgegaan.'

'Ze zei dat ze je huisgenote niet zag zitten. Dat ben ik toch?'

'Dat was nadat ik haar boos had gemaakt met mijn supereerlijkheid,' zegt hij, terwijl hij zijn hand op zijn hart legt. 'Ik zei tegen haar: "Schat, het is voorbij. Het is als een nachtkaars uitgegaan." Ze werd woedend, omdat ik haar vóór was. Als ik nog vijf minuten had gewacht, zou zij mij een schop onder mijn kont hebben gegeven.'

'Ha ha!'

Frank lacht en schuift een lepel ijs in zijn mond.

'Waarom ben je zo aardig voor me?' vraag ik.

Hij haalt zijn schouders op.

'Heb je medelijden met me of zo?'

'Kom op nou, we zijn vrienden,' zegt hij en hij zet zijn pet weer op. 'Nu we het daar toch over hebben, wat zou je ervan vinden als ik het diner voor Thanksgiving maak? Mijn ouders komen dit jaar niet naar het noorden. Ik dacht: ik kook en dan nodigen we Rosie en je nicht uit. En dan vraag ik Mikey en nog een paar vrienden.'

'En de puppy's natuurlijk,' zeg ik blij.

'De puppy's dien ik als toetje op,' zegt hij en zijn blik glijdt in mijn richting.

'Je bent vreselijk!' roep ik. Ik sla hem hard met een kussen en hij mij op mijn rug. Ik sta op mijn sokken op de bank en geef hem een mep tegen zijn kop. Daarna komt hij me achterna door de woonkamer. Als hij me te pakken krijgt, schreeuw ik: 'Genade, genade!' Dan laat hij me los en sla ik hem nog een keer keihard, dus pakt hij me weer vast.

'Ik geef me over,' zeg ik.

'Leugenaar,' zegt hij. Hij kent mijn streken.

'Echt waar,' zeg ik. Zodra hij me loslaat, pak ik een kussen, maar hij is me te snel af. 'Ik geef me over. Op mijn erewoord,' zeg ik en ik steek mijn handen in de lucht en probeer op adem te komen. Hij laat me los en ik gedraag me netjes.

'Bedankt, Frank,' zeg ik en ik laat me op de bank zakken. 'Wat de honden betreft, bedoel ik.'

'Geen probleem,' zegt hij.

'Waarom ben je dan toch zo aardig voor me?'

Hij brengt zijn kom naar zijn mond en slurpt het gesmolten ijs op. 'Omdat ik mezelf wel aardig vind als ik aardig voor anderen ben,' zegt hij.

Op de ochtend van Thanksgiving gaan Frank en ik vroeg aan de slag. Hij maakt schoon en vult de kalkoen. Ik maak geglaceerde zoete aardappelen en schil een hele zak van tweeënhalve kilo totdat mijn hand pijn doet. De hele ochtend en tot in de middag schillen en snijden en werken Frank en ik ons een ongeluk. De puppy's rennen rond in huis, terwijl ze keffen en boven op elkaar springen. Hun drang om te spelen barst telkens plotseling uit en na een tijdje is hun energie op en vallen ze als een blok in slaap op de keukenvloer. 'Ophoepelen,' zegt Frank, terwijl hij ze met zijn bepantoffelde voet naar de muur schuift.

Angie en Rosie nemen taarten mee.

'Skate,' zegt Rosie. Ze trekt me de badkamer in en kijkt me met een woeste blik aan. 'Perry heeft vanmorgen een paar keer gebeld. Hij was op zoek naar jou. Hij zei dat hij vanavond om negen uur op de promenade op je wacht. Bij Denardino's.'

Mijn hart begint sneller te kloppen en ik vang een blik op van mezelf in de spiegel. Ik bloos en even verschijnt er een glimlach op mijn gezicht.

'Je gaat toch wel, hè?' vraagt Rosie, terwijl ze mijn arm vastgrijpt. Ik knik.

Tegen het einde van de middag is iedereen gearriveerd en in de keuken struikelen we over elkaar. We zetten het eten op tafel, iedereen schept voor zichzelf een bord op en om het op te eten, kruipen we bij elkaar in de woonkamer. Alles is superlekker en het is erg gezellig. We eten, we kleppen, we rusten, en gaan dan nog een portie halen.

'Taart?' zegt Angie terwijl we als luiwammesen rondhangen in de woonkamer. We hebben wonderbaarlijk genoeg nog ergens een gaatje over. Ik ben blij dat Nick opduikt om met het toetje mee te eten. Terwijl ik met een stapel servetten de keuken uit loop, zie ik dat Nick met zijn vork Rosie een hap yamtaart voert.

Nadat iedereen is vertrokken, nemen Frank en ik de keuken onder handen. Om de beurt wassen en drogen we af en het duurt eindeloos. Ergens halverwege gil ik: 'Pauze!' en storm op de bank af.

'Als je nu gaat zitten, kom je nooit meer overeind, LD. We zijn er bijna.' Maar ik negeer hem en val onmiddellijk in slaap. Niet lang daarna word ik wakker van Barney die boven op mijn borst zit en mijn hals likt. 'Kom op,' zegt Frank, die vlak voor mijn neus met zijn vingers knipt. 'Hup-hup.'

'Nú?' vraag ik.

'Natuurlijk.' Dus nemen we de keuken verder onder handen. Deze keer is de glibberige kalkoenpan en de pan van de aardappelpuree met korst aan de beurt. Dubro. Nog meer Dubro. Er komt geen eind aan. Ten slotte is de afwas gedaan. Ik zak in elkaar op het tapijt in de woonkamer, uitgespreid als een zeester. Frank loopt wankelend naar de bank en ploft neer. 'Nonde-fucking-ju!' roept hij.

Wanneer de klok boven op de tv halfnegen slaat, denk ik erover om niet naar de promenade te gaan. Ik kan Perry best laten zitten. Ik bedoel, wat moet hij van me? Hij heeft mij aan de kant gezet. Hij heeft een nieuwe vriendin. Ik geef de puppy's eten en niet lang daarna lopen ze al te gapen. Ze vallen in slaap terwijl ik hun zachte kopjes aai en hun oren masseer. 'Lief jochie,' fluister ik tegen Barney. 'Lief meisje,' zeg ik tegen Lorry.

Maar om vijf voor negen spring ik overeind en trek mijn jas aan. Precies op dat moment begint de telefoon te rinkelen en steekt Frank onverschillig zijn hand uit naar de hoorn. 'Hallo, jij daar,' zegt hij. Zijn gezicht fleurt helemaal op en ik zie ineens als vanoudse die brede glimlach. Ongetwijfeld weer een nieuwe LD.

Het is koud en winderig op de promenade. Perry staat in elkaar gedoken naast de pier te wachten. Hij rilt.

'Hai,' zegt hij.

'Hai.'

We gaan bij Denardino's naar binnen, bestellen allebei een cola en nemen een box achterin bij de ovens.

'Hoe is het?' vraagt hij me.

'Redelijk goed.' Hij ziet er hetzelfde uit als hij er al de hele herfst heeft uitgezien, en dan bedoel ik helemaal precies hetzelfde – als Perry dus – maar ook anders. Hij heeft een nieuw T-shirt van Phish aan en zijn haar is nog nooit zo lang geweest. Hij ziet er zo goed uit dat het moeilijk voor me is om rustig tegenover hem te blijven zitten.

'Kom je morgen kliekjes eten? Mijn moeder maakt waarschijnlijk ook nog mac 'n cheese.'

Ik dwing mezelf te glimlachen, maar ik zeg niets. Heeft hij enig idee dat ik daar die avond op dat feest was? Weet hij met wie ik daar was en hoeveel ik heb gedronken? Weet hij wat er in de badkamer is gebeurd? Zou hij dat kunnen weten? Maar nu ik hem zo sloom achter zijn cola zie zitten en zo nu en dan naar me op zie kijken en glimlachen, terwijl hij me vertelt over de uni en zijn vrienden, weet ik zeker dat hij er geen idee van heeft. Geen flauw idee. Op een eigenaardige manier voelt hij nu als een vreemde voor me, ook al ken ik hem beter dan wie dan ook. Hij praat veel, ratelt maar door.

Hij vertelt me dat Eleanor nu zijn vriendin is. Alsof ik dat niet al weet! Hij legt me geduldig uit dat ik haar heb ontmoet toen ik die eerste keer onverwachts naar Rutgers kwam. Alsof ik dat al niet weet!

Knarsend kauwt hij op een ijsblokje terwijl hij me vertelt dat het 'vet cool' gaat. Hij blijft het maar zeggen: 'vet cool, vet cool.' Hij kijkt me niet aan terwijl hij praat. 'Je weet hoe dat werkt,' zegt hij. 'Ze is zo superaardig. Zo superattent. Toen mijn potloden stomp werden, heeft ze een puntenslijper voor me gekocht. Toen ik verkouden was, nam ze een pak van die dikke tissues voor me mee – die zakdoekjes waar je niet zo'n rooie neus van krijgt, ook al moet je hem vijfhonderd keer snuiten. Ze doet altijd wat ze zegt dat ze gaat doen. Ze eet iedere dag vijf porties fruit en groenten. Ze is zo megaopgewekt. Voortdurend. Ze is dodelijk vermoeiend.' Hij schudt zijn hoofd en neemt een grote slok cola.

'Ik snap het niet helemaal,' zeg ik.

'Ik ook niet. Ik mag haar absoluut totaal, maar ik weet het niet.'

'Ga je het dan uitmaken met haar?'

'Ik weet het niet. Mis je me?' vraagt hij, en hij kijkt me recht aan.

'Nee,' lieg ik.

Hij glimlacht. 'Ook niet een heel klein beetje, Skate?'

'Jij hebt mij aan de kant gezet, weet je nog wel? Ik ben je over straat achterna gerend. Ik wilde je over de Ouwe Kraai vertellen. Hij heeft ingebroken in de apotheek van de gevangenis en een paar flessen hoestsiroop achterovergeslagen, en toen is zijn bezoekrecht ingetrokken. En nu moet hij zes weken extra zitten en twee keer per dag naar de AA.'

'Jezus, man,' zegt Perry.

'Arme jij, ja,' zeg ik, 'met je dikke tissues en je aardige vriendin.' Ik pak een servetje uit de houder en veeg de vochtkring onder mijn colaglas weg.

Perry's gezicht wordt vlekkerig rood. 'Dude,' zegt hij en hij puft. 'Je hebt megagelijk. God, wat klink ik als een lulhannes.'

Ik schud mijn hoofd en haal mijn schouders op. Op dat moment mis ik de puppy's enorm. Ik overweeg om Perry over ze te vertellen, maar ik wil hem niet vertellen dat ik bij Frank woon, dus zeg ik niks.

'Weet je,' zegt Perry, terwijl hij naar Gino kijkt die het deeg de lucht in gooit en snel om zijn vuist laat ronddraaien. 'Soms ben je ontzettend irritant, Skate. Als je boos bent, kun je zo uit de hoogte doen. Zo nu en dan kon ik je nek wel omdraaien. Maar je bent wel echt. Je bent hartstikke echt…' Hij kijkt me aan. 'Denk je,' zegt hij zachtjes, 'dat je me binnenkort misschien weer zult missen?'

'En wat dan?' zeg ik, terwijl ik op mijn schoot het natte servetje versnipper.

Hij krijgt een zachtere uitdrukking in zijn ogen terwijl hij zich over de tafel naar me toe buigt. 'Dan zouden we daar misschien iets aan kunnen doen.'

'Perry, ik moet gaan.' Ik pak mijn board en glip de box uit.

Rosie

Skate komt binnen op het moment dat ik probeer te besluiten of ik naar de praatgroep ga. Ik heb al één arm in de mouw van mijn jas gestoken. Ik heb tegen Gus gezegd dat ik misschien zou komen en heb geprobeerd het tegen Nick te zeggen, maar hij deed vandaag op school zo raar. Na meetkunde wachtte hij niet op me en hij stapte niet bij me in de bus. Maar wat nog erger is, is dat er een brief is gekomen. Ik geef hem aan Skate. Hij is van onze vader en geadresseerd aan ROSIE & SKATE MEYERS, in een krabbelig handschrift. Je zou misschien denken dat het een trillerig dronkenmanschrift is, maar zo schrijft hij altijd, ook als hij nuchter is. Toen ik thuiskwam van school lag de brief in de brievenbus. Open mij, open mij, smeekte hij. Maar ik wilde het niet. Ik kan het niet. Skate houdt hem nu in haar hand, ongeopend. We kijken elkaar aan, Skates ogen zijn groot en blauw.

'Waar ga je heen?' vraagt ze.

Ik trek mijn arm uit de mouw en ga op de trap zitten, met mijn jas tot een bal in elkaar gefrommeld op mijn schoot. 'Misschien naar de praatgroep, maar misschien ook niet.'

'Naar Watjesklets? Hé, ik ga met je mee,' zegt ze, terwijl ze de brief boven op de rest van de post gooit.

'Jíj? Echt waar?'

Maar ze staat al buiten en roept: 'Schiet op.' Dus trek ik mijn jas aan en wind een sjaal om mijn nek.

Net als ik buiten sta, dringt Skate zich weer langs me naar binnen. Ze komt met de gevreesde brief terug. 'Kom op. Na afloop gaan we bij CarolAnne's een hamburger eten en misschien openen we dan dit klotegeval.'

Nick is er al, kauwend op een koekje. Hij lijkt verbaasd me te zien en tilt even slapjes zijn hand naar me op. Het gebaar is niet uitnodigend genoeg om naast hem neer te ploffen en ik blijf aarzelend staan. Ik besluit dat ik alleen naast hem ga zitten als hij binnen de volgende dertig seconden naar me opkijkt. Zijn ogen ontmoetten de mijne als ik tot twaalf heb geteld, maar dan wil ik het om wat voor reden ook niet meer. Maar het lijkt onbeleefd het nu niet te doen, dus ga ik toch maar op de stoel naast hem zitten. We glimlachen naar elkaar, maar we zeggen allebei niets. Ik ben blij als Skate naar me toe komt, board in de ene hand, cherrycola in de andere, en een van Gus' koekjes steekt uit haar mond. 'Hallo, Nick,' zegt ze terwijl ze zich installeert.

'Hai, Skate,' zegt hij. 'Ik had je hier niet verwacht.'

'Raar maar waar, ik weet het,' zegt ze wat onverschillig. 'Ik ben voor de koekjes gekomen.' Ze staat op en pakt een handjevol uit de met alufolie beklede schoenendoos om die met ons te delen. Dus kauwen we alle drie en praten niet. Een paar dagen geleden vroeg ik haar of ze Perry nog op de promenade had gezien, omdat hij dat graag wilde. 'Vraag alsjeblieft niks,' zei ze, terwijl ze haar hoofd afdraaide. Dus hield ik mijn mond en wachtte tot ze van gedachten zou veranderen. Maar dat deed ze niet. Wat zijn we toch een maf stelletje, zo met z'n drieën. Gus redt ons door een stoel bij te trekken en er achterstevoren op te gaan zitten. Hij praat over koetjes en kalfjes tot de bijeenkomst begint.

Nick praat ons bij over zijn vader. Hij drinkt, dat wel, maar hij wordt niet meer ladderzat. Dat is het goede nieuws. Het slechte nieuws is dat hij chagrijniger is. 'Als hij in zo'n bui is, zoekt hij altijd ruzie met me,' zegt Nick.

'En ga je daar dan in mee?' vraagt Gus.

'Ja, ik geloof het wel,' zegt Nick, die onderuitzakt in zijn stoel.

'Waarom loop je niet weg?'

'Makkelijker gezegd dan gedaan,' zegt Nick. 'In zo'n bui zoekt hij dus ruzie en wordt uiteindelijk altijd woedend op mij.'

'Luister,' zegt Gus, 'als je altijd doet wat je deed, krijg je wat je altijd al kreeg.'

Skate proest in mijn oor en ik vuur even een boze blik op haar af. 'Relax. Ik vind het super,' fluistert ze. Maar als Gus later tijdens de bijeenkomst zegt: 'Je moet je ziel verheffen. Je moet geloven in iets wat groter is dan jezelf', kijkt ze me aan en rolt op een heel grappige manier met haar ogen van weerzin.

Na afloop, wanneer ik mijn fiets van het slot haal, komt Nick naar me toe. 'Heb jij je meetkundehuiswerk al af?'

'Nog niet,' zeg ik.

'Zal ik naar jou toe komen, zodat we het samen kunnen maken?'

'Dat zou te gek zijn, zeker weten,' zeg ik, 'maar ik zou nog wat met Skate gaan chillen...'

'Geen probleem,' zegt hij en hij loopt achteruit weg.

'Later dan?' flap ik eruit.

'Hoeveel later?'

'Later later,' zeg ik. Nick haalt zijn schouders op en draait zich om.

'Zo,' zegt Skate, terwijl we in een box in het eettentje gaan zitten. 'Watjesklets is nog steeds niet mijn ding.'

'Waarom wilde je er dan toch heen?'

'Ik denk dat ik gewoon... Ach, ik weet het niet. Zeur toch niet zo, Rosie.'

'Teergevoelig poppetje,' zeg ik.

Ze haalt haar schouders op, gooit haar haren naar achteren en bestudeert een minuut de menukaart. 'Cheeseburger,' zegt ze, terwijl ze de kaart dichtklapt. Ze haalt de brief tevoorschijn, snijdt hem open, leest hem en geeft hem daarna aan mij.

Lieve meiden,
Mijn Rosie en Skate,
Lichten in de duisternis,
Denken jullie dat jullie een manier zouden kunnen vinden om
weer vertrouwen in mij te krijgen? De waarheid is dat ik niet eens
weet of ik mezelf wel vertrouw. Maar als ik weet dat jullie daar in
ons huis zijn en een beetje aan me denken, vind ik misschien wel
een manier om zonder drank te leven.
Ach nee, dat kan ik niet van jullie vragen. Ik zal vertrouwen in me-
zelf hebben. Kunnen jullie me daarin vertrouwen?
Liefs,
jullie papa

We staren elkaar sprakeloos aan op het moment dat de serveerster met haar bloknootje komt. We bestellen twee cheeseburgers met extra salade en een portie frietjes. Skate leest de brief nog een keer, en daarna ik ook.

'Hij denkt dat je thuis woont,' zeg ik.

'Ja, daar ziet het wel naar uit.'

'Ik wou dat je met de puppy's kwam… zoals je van plan was.'

'Je kunt langskomen wanneer je maar wilt,' zegt ze.

'Dat bedoel ik niet. Ik wou dat jíj weer thuis kwam wonen.'

'Ik weet niet waar thuis is.'

Ben ik dan niet een deel van thuis? wil ik vragen.

Het duurt niet lang voor onze bestelling arriveert, en zodra Skates bord de tafel raakt, pakt ze haar cheeseburger en hapt erin.

Ik volg met mijn vinger de rand van de brief. 'In geen miljoen jaar had hij verwacht dat het ooit zo met hem zou lopen.' Ik zie zijn oranje overall voor me, de grauwe bezoekruimte, het stukje hemel door het smerige raam, het betonnen bankje op de luchtplaats, zijn kleine locker. 'Niemand houdt het voor mogelijk dat hij zo diep zal zinken.'

'Ja.' Skate neemt een hap van de sappige sla.

'Maar het gebeurt wel.'

'Ja.'

'Zeg iets,' zeg ik.

'Rosie,' zegt ze. Ze stopt snel de rest van de augurken in haar mond en kauwt als een bezetene. 'Met ons gebeurt dat niet.'

'Dat weet ik wel.'

'Nee, dat weet je niet. Ik zie het aan je. Zeg me na: met ons zal dat nooit gebeuren. Hier, eet.' Ze schuift het bord met patat mijn kant op en ik spuit er een flinke klodder ketchup overheen.

'Natuurlijk gebeurt dat niet met ons. Jeminee, Skate.'

'Hou dat gejeminee voor jezelf. Jij bent degene die zich daarover zorgen maakt, ik niet.'

'Ik snap het gewoon niet. Ik heb het nooit gesnapt. Ik begrijp hem niet. Wat hij doet... wie hij is...' Ik schud mijn hoofd. 'Ik snap het niet.'

'Niemand snapt het. Hij snapt het zelf niet eens. Breek je er het hoofd niet over. Hoe is het trouwens nu met Nick en zo?' vraagt ze. 'Eerlijk gezegd zagen jullie er bij Watjesklets uit alsof er iemand was overleden.'

'Soms kijk ik naar Nick en dan denk ik: yes! En soms dan vind ik hem gewoon zo...'

'Gewoon zo wat?'

'Ik weet het niet...' zeg ik. 'Denk je dat er iets mis met me is, Skate?'

'Doe effe normaal, zeg.' Ze stopt een frietje in haar mond.

'Tussen jou en Perry was het nooit de ene keer heftig en dan weer op een laag pitje.'

'Het was altijd megaheftig tot hij naar de uni ging,' zegt ze, en even verschijnt er een stiekem glimlachje op haar gezicht.

'Geweldig, hoor. Maar wat schiet ik daarmee op?'

'Luister nou, misschien is Nick niet helemaal de ware voor je. Net zoiets als dat je schoenen maat 38 hebt, en dat maat 37½ nog net zou gaan, maar dat ze na een tijdje toch gaan knellen. Misschien is hij een 37½ aan jouw maat 38. Snap je?'

'Maar als het goed is, dan is het toch goed?'

'Dat moet je mij niet vragen, Rosie. Ik ben gedumpt.' Ze trekt een lelijk gezicht naar haar cheeseburger en laat hem met een vette klets op haar bord vallen.

'Perry komt wel weer terug. Hij wilde je toch zien?'

'Hij weet niet wat hij wil.'

Maar ik denk van wel. Toen hij ons op de ochtend van Thanksgiving belde, op zoek naar Skate, en op de promenade met haar wilde afspreken, hoorde ik dat hij haar miste. Ik hoorde het aan zijn stem.

Afgelopen zomer – in juni of zo toen de dagen heel lang waren – waren ze laat op de dag nog wezen surfen en kwamen op een gegeven moment met hun surfplanken terug om ze in onze schuur te zetten. Ik stond onder de buitendouche mijn vlot af te spoelen. Ze zagen me niet en om de een of andere reden wilde ik niet laten merken dat ik daar stond. Door een spleet in de deur zag ik dat Perry de planken opborg en daarna terugkeerde naar Skate en naar haar glimlachte. Hij pakte haar natte haar vast, dat tegen haar rug zat geplakt, en kneep het water eruit; de druppels kletsten op de stenen. Daarna kuste hij haar op haar lippen alsof ze heel teer was. 'Wat ben je toch een geweldige meid,' fluisterde hij. Ik viel zowat in katzwijm daar in het douchehok, en pakte mijn vlot stevig vast. Mijn ogen prikten. Zou ik ook ooit zoiets meemaken?

'Ga je studeren?' vraag ik en ik prik wat salade aan mijn vork.

'Ja, ik denk het wel. Hé, had ik je al verteld dat ik de toelatingstoets voor de uni behoorlijk goed heb gemaakt?'

'Wat wil je gaan doen, Skate?'

'Als ik later groot ben?' zegt ze plagend. 'Geen flauw idee. Iets.'

'Ik word misschien wel doktersassistente.'

'Waarom geen dokter? Jezus.' Ze likt ketchup van haar lippen.

'Ik geloof niet dat ik zo lang wil studeren, en bovendien kan een doktersassistente heel veel doen wat een dokter ook doet: onderzoeken doen en recepten uitschrijven.' Vorig jaar toen ik een vreselijk pijnlijke keel had, werd ik in de polikliniek door een doktersassistente geholpen. Ze was jong en aardig en nam een monster voor een bacteriekweek van mijn keel. Ze bezorgde me een goed gevoel nog voordat het geneesmiddel zijn werk kon gaan doen. Ik eet een paar van de in ketchup zwemmende frietten en kijk naar de naargeestige witte envelop met het krabbelige handschrift die daar op tafel ligt. 'O, ik ben hem zo zat.'

'Ik ben hem al jaren zat.' Skate veegt haar vettige vingers af aan een servetje. 'Maar als hij zijn bezoekrecht weer terugkrijgt, ga ik bij hem langs.'

'Dat meen je niet!'

'Ja, hoor.'

'Je gaat me toch niet vertellen dat je hem nog een kans geeft?'

'O, nee, ik geef die Ouwe Kraai niet nog een kans,' zegt Skate. 'Wees maar niet bang.'

'Waarom ga je dan?'

'Je kunt iemand toch wel gedag zeggen?'

'Wanneer heb je dat besloten?'

'Nu.' Skate maakt een prop van haar servet. 'Hoe was het ook alweer? "Als je altijd doet wat je deed, krijg je wat je altijd al kreeg." Misschien ga ik eens wat anders doen.'

Ik staar naar de brief, daarna naar mijn zusje. 'Nou, ik ga niet.' Misschien heb ik al wat anders gedaan.

'Raar, hè?' zegt Skate en ze stopt de brief in haar zak.

De telefoon begint te rinkelen zodra ik thuiskom. 'Hallo,' zeg ik, in de hoop dat het Nick is en dat hij uiteindelijk toch de goede schoenmaat heeft.

'Rosie, is ze bij jullie?' vraagt Perry.

'Perry, hai!' flap ik eruit. 'Ze is hier niet, maar ik zal tegen haar zeggen dat ze je moet terugbellen.' O, wat zou ik graag tegen hem zeggen dat ik vind dat ze bij elkaar horen, maar dat hij Skate nog even wat tijd moet gunnen… maar iets houdt me tegen. Ik hang op, plof neer in de keukenstoel en vraag me af of ik het had moeten zeggen. De telefoon gaat weer, en ik weet zeker dat het Perry is, dus storm ik eropaf.

'Hallo, is Angie thuis?' vraagt een meisje.

'Ja, hoor,' zeg ik, verbaasd. Angie wordt maar weinig gebeld. Ik schreeuw naar boven, en wanneer ik terugkom, staat Nick door het keukenraam naar me te kijken. 'Hallo,' zeg ik terwijl ik hem binnenlaat.

'Hai, jongens,' zegt Angie. Ze vliegt langs ons en pakt de hoorn. 'Ik ben zo blij dat je me terugbelt,' zegt ze lachend in de telefoon. 'Het is zo fijn om je stem te horen.'

'Is het te laat?' fluistert Nick verlegen.

'Nee, nee, laten we onze meetkunde gaan doen. Kom, we gaan naar boven.'

De daaropvolgende 45 minuten liggen we languit op de grond ons wiskundehuiswerk te maken. Wanneer we klaar zijn, zegt Nick: 'Ik geloof dat ik moet gaan.' Ik wil nog niet dat hij gaat, maar ik vraag me af wat hij zal denken als ik dat zeg. Nick zal wel hetzelfde willen, want hij blijft gewoon zitten.

'Je kunt nog wel even blijven,' zeg ik, terwijl ik aan de radio morrel.

'Oké,' zeg hij. 'We kunnen zoenen als je daar zin in hebt. En het daarbij laten.'

'Ik heb er wel zin in,' zeg ik.

'Goed dan.' Hij haakt zijn haar achter zijn oren, die gloeiend rood zijn. Daardoor moet ik glimlachen en wordt mijn ongerustheid wat weggenomen. Niet dat ik bang ben of zo, dat niet.

'Ik ben er klaar voor, jij ook?' probeert hij met een uitgestreken gezicht te zeggen, maar hij moet lachen.

'Kom me maar halen,' zeg ik, en ik bloos.

'Tot uw orders,' zegt hij met een levendig en blij gezicht. Ik giechel, en hij schuift snel over de vloer op me af. Hij glimlacht nu voorzichtig naar me, wat me vlinders in mijn buik bezorgt. En hij kust me een paar keer. 'Je smaakt naar ketchup.'

'O, hou toch op.' Ik maak een beweging om op te staan.

'Dat geeft helemaal niks, joh,' zegt hij en hij trekt me weer naar beneden. Daarna zoenen we nog een tijdje tot de grond te hard gaat voelen.

'Kunnen we op je bed gaan liggen?' vraagt hij.

'Oké.' Ik zet de radio uit en dim het licht. We kruipen onder de quilt. Met het weinige licht voel ik me dapperder. 'Nick, waarom gaat het soms zo moeilijk tussen ons?'

'Ik weet het niet.'

'Ik weet het ook niet,' zeg ik.

'Zouden we het moeten weten?'

'Goede vraag.' De wind buldert tegen de ramen, de ruiten rammelen. Ik kruip dichter naar hem toe en voel zijn warmte onder de quilt. Er zijn veel dingen die ik niet weet, maar dan nog. Ik ben gewoon blij dat hij nu bij me is.

'Kunnen we weer zoenen?' zegt hij, terwijl hij met zijn neus in mijn hals snuffelt.

Ik knik. En dus doen we alleen dat. Zoenen. Het is heel fijn en we moeten slaperig zijn geworden. Want wanneer ik mijn ogen opendoe, zie ik dat het zonlicht door de ramen naar binnen stroomt. Nick wordt naast me wakker.

'Shit,' zegt hij en hij springt uit bed. Hij raapt zijn spullen bij elkaar, knijpt in mijn hand en zegt tegen me dat hij me wel op school ziet.

Skate

Rosie vertelt me dat Perry voortdurend berichten op ons antwoordapparaat achterlaat. Hij heeft zelfs de speelhal gebeld toen ik daar was, maar ik schudde mijn hoofd toen Frank me de telefoon aanreikte. Frank zei zonder ook maar een greintje van een verontschuldigende toon in zijn stem: 'Sorry, dude. Niet hier,' en hing op. Ik heb Frank niet verteld wat er is gebeurd, dat Perry me terug wil.

Na schooltijd neem ik de bus naar Little Mermaid en ga naar huis. Ik neem de telefoon mee naar mijn kamer en ga op bed zitten. Het allermakkelijkste ter wereld zou zijn om 'ja' tegen Perry te zeggen. Ik bel hem in de hoop dat zijn telefoon overschakelt op de voicemail, maar hij neemt hem al op bij de eerste keer overgaan.

'Eindelijk,' zegt hij.

'Ik wil niet dat je me zo vaak belt.'

'Nou ja, eindelijk,' zegt hij weer.

Hij is buiten. Ik hoor stemmen en verkeer.

'Waar ben je nu?'

'Ik ren als een idioot rond. Ik heb net mijn looncheque opgehaald en ga nu geld pinnen, en daarna moet ik naar de geschiedenisfaculteit om nog net op tijd een werkstuk in te leveren. Daarna moet ik wat boeken terugbrengen naar de bieb. Wat doe jij?'

'Ik ga naar de speelhal om een paar uur te werken.'

'Ik wilde dat ik je later kon overstralen naar de kantine hier. Vanavond hebben ze gehaktballen en saucijzen.'

'Mmm... Maar waarom ben je zo laat met dat werkstuk?' vraag ik.

'Ach, ik heb te veel tijd verlanterfant.'

'Hé, Perry, ik moest vandaag ergens aan denken... Herinner jij je die eerste keer in de badkuip nog?'

'Natuurlijk,' zegt hij, zijn stem lief en zacht.

Perry en ik kenden elkaar nog maar een paar weken toen Hal, Julia's vriend, bij hem thuis een feest gaf en Perry me uitnodigde om mee te gaan. We zaten buiten op de veranda op de schommelbank, gewikkeld in een deken. Toen het feest steeds luidruchtiger werd, nam Perry me mee voor een rondleiding door Hals grote, oude huis aan de baai. Op de tweede verdieping was een grote badkamer met een groot bad op klauwpoten, net als wij hebben maar dan veel chiquer. Iedereen was op de begane grond aan het drinken en aan het kletsen, en wij waren alleen boven. Ik draaide de kranen van het bad open. 'Laten we een bad nemen.'

'Hier? Nu?'

'Waarom niet?'

'Ik wil wel,' zei Perry blozend. Dus toen de badkamer vol stoom hing, trokken we in het bijzijn van de ander onze kleren uit, stuk voor stuk en om de beurt, alsof we elkaar uitdaagden om door te gaan.

'Jippie!' riep ik spiernaakt.

'Joepie!' riep Perry, terwijl hij uit zijn onderbroek stapte en die tegen de muur schopte.

Eerst keken we elkaar in de ogen, voelden ons heel erg giechelig, maar toen bekeken we elkaar – lekker lang. Lekker lang en verbaasd. Ik klom een beetje zenuwachtig over de rand van de badkuip en ging in het warme water zitten. Perry liet zich naast me zakken en verstrengelde zijn lange benen met de mijne.

'Dat is fijn om aan terug te denken,' zegt Perry nu.

'Ja,' is het enige wat ik kan zeggen, omdat herinneringen pijn doen – maar waarom zou het pijn moeten doen, zo'n goede herinnering? Misschien komt dat omdat Perry altijd bij me is, zelfs al is hij dat niet lijfelijk. Zoals nu, nu hij door een straat in New Brunswick naar de pinautomaat loopt. Er is nooit een moment dat ik me helemaal aan hem kan onttrekken… Raar eigenlijk, omdat ik niet eens meer met hem ga. 'Ben je nog steeds met haar?'

'Ja, maar het is zoals ik je heb verteld… Jij mag het zeggen, Skate.'

'Ik denk over alles na. Zeur er niet over aan mijn hoofd. Ik denk erover na. En sinds wanneer zeg jij "verlanterfant"?'

'Ik weet het niet.' Hij lacht.

'Ik moet ophangen.' Ik hang op en wacht tot de telefoon weer begint te rinkelen. Maar dat gebeurt niet, en ik ben blij.

Ik rij voorbij de promenade, besluit vanmiddag niet te gaan werken. Ik heb geen zin om te praten. Ik moet nog een werkstuk schrijven en daar heb ik ook geen zin in, maar het moet morgen af. Ik denk dat ik mijn tijd aan het 'verlanterfanten' ben. Ik open de deur van Franks huis en de puppy's rennen op me af. Ze zijn door het dolle, omdat ze in de keuken moeten blijven als wij er niet zijn. Ik neem ze mee naar de tuin en nu gaan ze helemaal uit hun dak en rennen rondjes. Ik ga in de roeiboot zitten en probeer na te denken. De kern van de zaak is, volgens mij, dat ook al heeft Perry het met mij uitgemaakt en met haar aangepapt, hij mij wil hebben. Mij. Maar dat doet me lang niet zoveel als misschien zou moeten. Ik vraag me af waarom. En bovendien maak ik me kwaad over mijn ongeschreven werkstuk voor Engels. 'Kom op, puppy's,' zeg ik en ik open de keukendeur. Maar ze negeren me. Dus moet ik één voor één achter ze aan jagen om ze binnen te krijgen. En terwijl ik me met mijn aantekenschrift op de bank laat zakken, legt Lorry een drol op de keukenvloer. 'O, tutje, je was net buiten!' gil ik. Ik ben van plan het op te ruimen, maar ik doe het niet.

Later, wanneer het donker is, komt Frank thuis. 'O, shit!' schreeuwt hij. 'Barney, wat heb je gedaan?'

'Waarom ga je ervan uit dat Barney dat heeft gedaan?' Ik zit met mijn schrift en een exemplaar van *Grote verwachtingen* op de bank en probeer mijn werkstuk te schrijven.

'In zijn ogen staat schuld te lezen. Jij hebt het gedaan, hè?' zegt hij, terwijl hij zich vooroverbuigt naar Barney.

'Ongelofelijk, Frank. Je flirt zelfs met meisjeshonden. Als je maar weet dat Lorry die drol heeft gelegd.'

'Lorry,' zegt hij, en hij kijkt haar streng aan. Maar ze kijkt met grote, aandoenlijke ogen naar Frank op en kwispelt met haar staart. 'Liegt Skate?' vraagt hij haar en hij buigt zich voorover om haar te aaien. 'Heb jij dat echt gedaan?' fluistert hij. Barney vindt het saai en hij komt naar mij toe.

'Je vriendinnetje heeft het gedaan, dude,' zeg ik. 'Laat Barney erbuiten.' De hond springt op de bank en likt mijn hand.

'Dat betekent dus dat je hebt gezien dat ze een drol legde en dat je die op mijn keukenvloer hebt laten liggen.'

'Ik was van plan hem op te ruimen nadat ik deze alinea had geschreven.'

'Snotverdorie, Lorry, misschien is het wel waar. Oké, vooruit met de geit,' zegt hij, terwijl hij een prop keukenpapier in mijn hand duwt.

Ik ruim het op, gooi mezelf weer op de bank en staar naar dezelfde halve alinea. Ik hou van Engels. Ik ben goed in Engels. Maar ik kom niet verder dan die paar zinnen.

Frank loopt naar de keuken en doet de koelkast open. Ik hoor hem boodschappen opruimen. 'Waarom ben je vandaag niet komen werken? Ik wilde dat je wat nieuwe waarzegkaartjes voor me zou bestellen. Ik heb een catalogus. We moeten wat beters zien te krijgen, vind je niet? Ze zouden wel wat optimistischer en grappiger mogen zijn. Het kaartje dat ik vandaag kreeg, was: ER STAAN U MOEILIJKHEDEN TE WACHTEN. Wie wil dát nou krijgen?'

Ik gum een zin uit, wacht op inspiratie.

'LD,' zegt Frank, die nu bij me naast de bank staat.

'Heb je het tegen mij?'

'Natuurlijk,' zegt hij.

'Zeg het dan.'

'O-o-o.' Hij gooit zijn waarzegkaartje naar mijn hoofd. ER STAAN U MOEILIJKHEDEN TE WACHTEN.

Ik gooi het terug naar hem.

'Heb je honger?' vraagt hij.

Ik knik.

'Ik ga vast de pesto maken. Wil jij een salade maken?'

'Oké.' Maar ik blijf zitten en Frank roffelt met zijn vingers op mijn hoofd.

'Joehoe,' zegt hij. 'Wat is er aan de hand? Waarom ben je vanmiddag niet komen werken?'

'Sorry.'

Frank pakt Lorry op en laat haar zijn gezicht likken. 'Ze is in een sombere bui, die daar,' zegt hij tegen de puppy. 'Zeker weten.'

'Hou op!'

Hij gooit zijn hoofd in zijn nek van frustratie en loopt de keuken in. Ik hijs mezelf op van de bank en was sla, schrap een wortel, snij een tomaat in blokjes, strooi er wat croutons over en dek de tafel.

We gaan zitten en Frank wrijft in zijn handen. 'Jammie, dat ziet er lekker uit,' zegt hij terwijl hij naar het avondeten kijkt. 'Ik zei dus tegen je,' zegt hij al kauwend, 'dat ik wil dat je die catalogus doorbladert en betere kaartjes uitzoekt. Geen gelul meer zoals "er staan u moeilijkheden te wachten".'

'Frank,' roep ik, 'gedraag je toch niet als een eeuwig blije debiel. Iedereen krijgt vroeg of laat moeilijkheden.'

Zijn vork blijft halverwege zijn mond in de lucht hangen. 'Je denkt toch niet dat iedereen vijftig cent wil betalen om dat te weten te komen?'

Ik probeer te glimlachen, omdat ik weet dat ik chagrijnig doe. 'Wat wil je dan? "Het geluk ligt voor het grijpen! U zult naar vele verre landen reizen!"'

'Zoiets, ja. Maar misschien ook nog wat grappiger, snap je?' Ik kijk hem boos aan, en hij slaat zijn ogen neer, glimlacht en kijkt naar zijn spaghetti. 'Ik dacht dat je het leuk zou vinden. Kennelijk dus niet.'

'Ik zal wel wat grappige waarzegkaartjes voor je uitzoeken, Frank,' zeg ik. Ik draai mijn spaghetti tegen mijn lepel rond mijn vork, zoals hij me heeft geleerd. 'Maak je geen zorgen.'

'Heb ik iets verkeerd gedaan?' vraagt hij, terwijl hij zijn vork neerlegt en me recht aankijkt. Hij moet zich nodig scheren. Zijn gezicht is stoppelig en hij moet ook naar de kapper. Zijn haar staat alle kanten op terwijl hij daar naar me zit te kijken. Hij wil het echt weten.

'Nee... Ik heb een pestbui... Dwing me niet er iets over te zeggen.'

'Perry?'

Ik knik.

'Vertel het me dan toch maar.'

'Hij mist me... Hij wil...'

Frank draait een enorme rol spaghetti om zijn vork, stopt die in zijn mond en kauwt langzaam. 'Je hebt toch wel "nee" gezegd, mag ik hopen?'

Ik schud mijn hoofd.

'Denk aan hoe hij je aan het lijntje hield. Denk aan hoe hij je telkens weer teleurstelde door zich niet aan afspraken te houden.'

'Je kent hem niet echt.'

'Ik weet wat ik weet. Wil jij dan een vriendje dat nooit bij je is? Wie...'

'Het gaat je niets aan, Frank.'

Dat maakt een einde aan het gesprek. Zonder nog iets tegen elkaar te zeggen eten we onze maaltijd op. Hij staat op en neemt zijn bord mee naar de gootsteen en ik zie dat hij een paar spaghettislierten uit de pan vist, zijn hoofd achterover houdt en ze in zijn mond laat zakken. We hebben geen van beiden van onze sla gegeten, maar ik ruim toch af. Ik doe de overgebleven spaghetti in een Tupperware-bak en ik was de pan en de blender af. Ik laat onze schaaltjes salade op het werkblad staan en knip het licht uit.

Frank zit in de relaxstoel de krant te lezen wanneer ik terugloop naar de bank en mijn aantekenschrift. 'Ik heb jou er ook bij betrokken, of je dat nu wilde of niet,' zeg ik. 'Dat was niet eerlijk. Sorry.'

Over de rand van de krant kijkt hij naar me. 'Ach ja, wat weet ik nou? Ik ben maar een eeuwig blije debiel.' Maar hij glimlacht terwijl hij het zegt.

'Je bent een blije dude, echt waar, en absoluut geen debiel.'

'Wel allemachtig. Dank je wel, LD,' zegt hij terwijl hij ter bevestiging even met de krant schudt.

Ik laat me op de grond zakken, waar Barney op een oude slipper kauwt. Lorry komt erbij en gaapt puppyadem in mijn gezicht. 'Ik weet niet wat ik moet doen.'

'Heeft hij het uitgemaakt met dat meisje?'

'Nog niet.'

'Aha! Hij heeft haar nog niet de bons gegeven voor het geval jij "nee" mocht zeggen. Nu houdt hij háár aan het lijntje. Ha!'

'Frank!' zeg ik geïrriteerd. 'Jíj hebt meisjes aan het lijntje gehouden. Jíj hebt ze teleurgesteld omdat je je niet aan afspraken hield.'

'Met jou zou ik dat nooit doen.'

'Waarom niet?'

Hij tilt de krant weer voor zijn gezicht.

'Ik hou van hem,' zeg ik. 'Ik bedoel, ik hield van hem. Ik bedoel, ik weet het niet meer.'

Frank zegt niets en ik probeer weer verder te schrijven aan mijn werkstuk.

Niet lang daarna loopt Frank naar de keuken en ik hoor dat hij de fles dressing schudt voordat hij zijn salade erin laat zwemmen. Dat doet hij altijd, zijn sla in de dressing laten zwemmen. Hij staat knisperend te kauwen aan het werkblad, loopt daarna zachtjes terug naar de woonkamer en gaat op de leuning van de bank zitten. 'LD,' zegt hij, met zijn mond vol salade. 'Ik voel me verantwoordelijk voor je. Ik heb dat nog nooit op zo'n manier met een meisje gevoeld. Maar met jou voel ik dat wel. Daarom zou ik je nooit aan het lijntje houden of je teleurstellen door me niet aan afspraken te houden. Je bent een beetje te jong voor me, dat is waar. Maar...' Hij kijkt me strak aan. 'Alles aan jou bevalt me.'

'Frank,' zeg ik enigszins overrompeld.

'Denk je ooit wel eens op die manier aan mij?'

'Frank!' Ik raap mijn schoolspullen bij elkaar en stop ze in mijn rugzak.

'Wat doe je?'

'Ik weet het niet!'

Hij trekt mijn rugzak uit mijn hand. 'Rustig nou even, LD. Rustig nou, maak je niet druk. Het gaat toch hartstikke goed tussen ons?'

Mijn ogen prikken. 'Kappen nou!'

'Kappen nou?' vraagt hij, en hij kijkt me daarbij aan alsof ik niet goed snik ben.

'Wat doe je nou? Hou op!'

'Oké. Oké.' Hij zorgt dat ik naast hem kom zitten. 'Denk er gewoon eens over na.' Hij zwaait met zijn hand. 'Schrijf gewoon je werkstuk, ga naar school en bestel wat nieuwe waarzegkaartjes. Maar slaap er nog eens een nachtje over. Oké? Ik loop niet weg.'

Terwijl ik mijn jas aantrek, kijken de pups hoopvol naar me op, ze denken misschien dat ik ze mee naar buiten zal nemen. 'Hoor eens, ik moet dit shitwerkstuk schrijven en dat lukt me hier niet. Ik ga naar huis en neem Barney mee, oké?' Ik leg een oude handdoek in mijn rugzak en stop de puppy erin zodat alleen nog zijn kopje erbovenuit gluurt. Hij wringt zich in allerlei bochten, hij vindt het absoluut niet leuk.

Frank kijkt me ongelukkig na vanuit de deuropening terwijl ik de rugzak voor mijn borst hang en op mijn board stap. Het is een koude avond. 'Daar gaan we,' fluister ik tegen Barney. Barney vindt het toch wel leuk en houdt op met kronkelen zodra we in beweging zijn gekomen. Zijn kleine oortjes flappen naar achteren in de wind. O, jezus, waar is Frank in hemelsnaam mee bezig?

Ik breng steeds meer tijd thuis door. Rosie en Angie zijn dol op Barney en het is tot op zekere hoogte wel leuk om weer in mijn eigen kamer te bivakkeren, in mijn eigen bed, onder mijn eigen quilt en met mijn eigen raam dat uitkijkt over de oceaan. Eerst nam ik de puppy's om de beurt mee, omdat ik Lorry ook mis, maar ik kan Frank niet te lang van zijn lieveling scheiden. Dus meestal neem ik Barney mee. Ik bestel voor Frank een stelletje grappige waarzegkaartjes, waarvan ik weet dat hij ze leuk zal vinden. Ik werk wanneer ik zeg dat ik dat zal doen. Ik ga naar school. Ik slaap zelfs zo nu en dan bij Frank op de bank.

Frank en ik hebben met elkaar afgesproken dat hij af en toe een balletje mag opgooien over waarom we samen verder zouden moeten gaan, en dat noemen we 'Franks Twee Minuten'. Hij zegt dan: 'Geef me twee minuten, LD.' Daarna steekt hij enthousiast van wal met zinnen zoals: 'We houden allebei van eten.' En dan zeg ik: 'Houdt niet iedereen van eten?' en dan zegt hij: 'Sommigen houden er meer van dan anderen.' Of hij zegt: 'We houden allebei van herhalingen van tv-series laat op de avond, we houden allebei van de speelhal, we houden allebei van surfen.' Meestal draait dat op een lachbui uit. Ik ben niet bang om Franks gevoelens te kwetsen. Op het ogenblik is hij gegrepen door dat idee, maar hij is over het algemeen behoorlijk relaxed en ik verwacht niet dat hij zich lang aan deze obsessie zal vastklampen. Bovendien heeft hij genoeg andere LD's die hem opbellen en hij praat altijd heel vrolijk met ze.

En soms kijk ik naar Frank en denk: ach, waarom eigenlijk ook niet? Maar meestal denk ik aan Perry. Perry is altijd in mijn hoofd en mijn dromen aanwezig. Op sommige ochtenden word ik zweterig en slap wakker. Maar ik neem nog geen besluit wat hem betreft. Ik bel hem ook niet. Ik doe alleen maar mijn best om mijn dagen zo goed mogelijk door te komen. Na schooltijd is er Barney of werk. En huiswerk. Er is rondhangen samen met Rosie. Er is Rosie met Nick, er is Rosie en Angie. Er is Franse friet bij CarolAnne's. Op sommige avonden is er eten bij Frank.

Zo gaat het leven zijn gangetje terwijl we op Kerstmis afstevenen. Angie zeult een plastic Charlie Brown-kerstboom mee naar huis en Rosie en ik plagen haar doorlopend totdat ze hem gepikeerd de trap op sleept naar haar eigen kamer. Daarna halen we met z'n drieën een echte boom. Rosie, die het geduld van een heilige heeft, rijgt slingers van popcorn, de ene gepofte maïskorrel na de andere. Ik diep in de rommelkamer dozen met kerstversieringen op en hang de gekleurde ballen aan de takken.

En dan krijgt de Ouwe Kraai zijn bezoekrecht weer terug. Ik vraag Angie om me te brengen, maar ze moet nu heel vaak in de kapsalon werken. Ze biedt aan om met een van haar collega's te ruilen, maar dat wil ik niet. Julia zou zo met me meegaan. Dat weet ik. Maar ik vraag het aan Frank, die er geen seconde over hoeft na te denken. Dus rijden we op een koude, zonnige middag naar de gevangenis.

Het eerste wat me opvalt, is dat hij er goed uitziet. Zo goed heeft hij er in jaren niet meer uitgezien. Wie had ooit gedacht dat hij in de Ocean Grove-gevangenis zou opbloeien, als een of ander zeldzaam bloempje dat alleen in de bajes groeit. Ik plof tegenover hem neer en stel Frank voor. Nadat ze elkaar hebben begroet, smeert Frank 'm met een krant naar een andere tafel.

'Ik had nooit gedacht je hier te zien,' zegt mijn vader en hij begint ineens breed te glimlachen.

'Nou, daar ben ik dan.'

'Geweldig,' zegt hij. 'Geen Rosie?'

'Nee. Geen Rosie.'

'Ach, nou ja… Het is fijn om je te zien, Skate.'

'Ik moet eerst even wat aan je kwijt,' zeg ik, en ik kijk hem zo lang aan dat hij zijn ogen neerslaat. 'Beloof nooit meer wat.'

'Oké,' zegt hij eenvoudigweg.

'Echt waar?' zeg ik, terwijl ik me uit mijn jasje wurm. 'Cool.'

Daarna heeft hij een miljoen vragen. Hoe is het met me? Hoe gaat het op school? Wat voer ik tegenwoordig uit?

'En hoe gaat het met je vriendje?' vraagt hij.

'We hebben er een punt achter gezet.'

De Ouwe Kraai glimlacht bedroefd naar me. 'Jammer voor hem.'

'Voor mij ook. Herinner je je Perry nog?'

'Die jongen met zwart haar. Knap joch.'

Ik knik. 'Hij zit op Rutgers. Is dit jaar begonnen. Het is voor ons allebei gewoon te moeilijk.'

'Je kunt er aan elke vinger één krijgen, meisje.'

'Ja, maar eentje is genoeg.' Het dringt op dat moment tot me door dat ik over Perry praat alsof het echt uit is, en misschien is dat ook zo.

'Als je dan maar de goeie uitzoekt en uitkijkt voor profiteurs.' Mijn vader wijst met zijn duim in de richting van Frank. 'En die gozer?'

'O, dat is mijn baas bij Lucky Louie's. Hij is de zoon van Louie. Louie woont in de zomer in Mermaid en de rest van het jaar in Florida. Frank is buiten het seizoen de baas.'

Mijn vader knikt.

'Het is een aardige gozer,' zeg ik, terwijl ik naar Frank kijk. 'Hij maakt zelf ravioli.'

'Hij daar?' zegt mijn vader plagerig.

'Ja, die daar,' plaag ik terug. 'De ravioliman van Mermaid Heights.'

'En kook jij ook?'

'Nee, maar ik hou wel van eten, dus moet ik wat dat betreft mijn handjes maar eens gaan laten wapperen, hè?'

'Gisteren dacht ik toevallig aan je, Skate. Jij was altijd degene die pindakaas met jam op je brood at. Wat een kleverig rommeltje maakte je er dan van.'

'Ik heb in geen eeuwen een boterham met pindakaas en jam gegeten,' zeg ik. Ik krijg er trek van.

'Nou, ik heb er gisteren één gegeten.'

'Nee, niet waar.'

'Ik zweer het je,' zegt hij en ondertussen steekt hij zijn hand op. 'Van dat soort dingen moet je het hebben als je in de bajes zit. Het smaakte niet eens slecht.' Hij slaat een minuut zijn ogen neer en kijkt naar de tafel, en dan kijkt hij weer naar me op. 'Waarom is Rosie er vandaag niet?'

'Eerlijk gezegd, pap, denk ik dat ze het met je heeft gehad.'

'O, jee,' zegt hij.

'Ik ga het niet mooier maken dan het is,' zeg ik. 'We zijn het allebei meer dan zat.'

Hij knikt.

'Het moet gezegd worden. Sorry,' zeg ik. Dat ik zo bot ben, niet dat ik het zeg.

Hij knikt weer, glimlacht half en half en slaat zijn ogen neer.

'Het klinkt misschien raar,' zeg ik terwijl ik naar voren leun, 'maar zou je me iets over mama willen vertellen? Ik ken alle verhalen. Ik heb alle foto's gezien. Vertel me nou eens iets wat ik níét weet.'

'Even kijken… iets wat je niet weet… Ze had geen richtinggevoel. Ze kon de weg al kwijtraken als ze naar de supermarkt reed.'

'Ja, oké. Maar kan het ook ietsepietsje interessanter dan dat?'

'Wat dacht je ervan als ik daar eerst over nadenk en er later op terugkom?'

'Oké. Daar kan ik mee leven.'

'Denk je de laatste tijd aan haar?' vraagt hij.

'Ik geloof het wel. Oké,' zeg ik en ik pak mijn jasje. 'Ik wilde je alleen even gedag zeggen en zo.'

'Gedag en zo dan,' zegt hij met een glimlach. 'Ik ben blij, schat. Ik ben blij.'

Rosie

Het is zo fijn dat Skate weer thuis is! We zitten op de grond in haar kamer en pakken cadeautjes in, in papier versierd met kerstmannen die op een meer aan het ijsvissen zijn. Skate doet het papier eromheen en ik heb lintenknoopdienst, terwijl Barney zich overal mee bemoeit.

Voor Angie hebben we een badpak gekocht. Ze zegt dat ze er alles voor over heeft om tegen de zomer in maatje 36 te passen. Dus hebben we, om haar te inspireren, een maatje 36 gekocht, een glimmend klein paars geval met bandjes met kraaltjes. Halve prijs op de promenade! We hebben ook glitteroogschaduw, lipgloss, nagellak en haarklemmetjes met steentjes voor haar bij de drogist gekocht. Ze heeft het nu officieel met haar vriendje uitgemaakt – op een avond hebben ze lang met elkaar over de telefoon gesproken.

'Raad eens wat ik voor Gus heb gekocht!' zeg ik, terwijl ik overeind spring.

'Gevoel voor humor,' zegt Skate. Ze scheurt een stuk plakband af.

Ik geef haar met een rol inpakpapier een klap op haar hoofd.

'Grapje,' zegt ze met een zelfgenoegzame glimlach.

'Op de rommelmarkt in de kerk heb ik een stel ouderwetse uitsteekvormpjes voor koekjes gevonden: een schar, een teenslipper en een krab. Een kwartje per stuk. 75 cent!'

'Cool,' zegt Skate, die er even met haar vingers aanzit. 'Z'n koekjes zijn lekker. Dat kan ik niet ontkennen.'

Voor Skate heb ik een bijna-perfecte lichtblauwe kasjmieren coltrui gevonden. Er zit maar één hééél klein mottengaatje in en Angie zei dat ze dat wel kon maken, maar Skate heeft eerlijk gezegd een zwak voor gaten.

'Weet je wat ik voor Frank doe?' zegt ze. 'Ik heb nieuwe kaartjes voor het waarzegapparaat in de speelhal besteld. Ik heb de beste uitgezocht. Op de avond voor kerst eet hij bij zijn ouders en dan ga ik naar zijn huis en verstop ik ze in zijn elektrische oventje, de la met tafelzilver, de wasmand, het medicijnkastje, zijn pak Coco Pops.' Zè laat me het stapeltje zien en ik kijk ze snel door: IK BEN BLIJ TE KUNNEN MELDEN DAT U STINKEND RIJK WORDT! IK ZIE VEEL VRIENDEN EN EEN KAMER VOL GELACH – CONTROLEER UW RITS. MET EEN OPEN HART JE MEDEMENS TEGEMOET TREDEN IS MOOI ZOLANG HET BLOED ER NIET UIT SPUIT. JE ZULT VAN ALLES KRIJGEN EN NOG VEEL MEER!

'Ze zijn echt vet leuk!' roep ik.

'Hier is een mooie voor de Ouwe Kraai,' zegt ze, terwijl ze een kaartje tevoorschijn trekt. 'PROBEER EENS WAT ANDERS – JIJ EN IEDEREEN DIE JE KENT, ZULLEN ER BLIJ MEE ZIJN.'

'Om nog maar te zwijgen van het feit dat hij en iedereen om hem heen zich een hoedje zullen schrikken.'

Skate lacht. 'Over de Ouwe Kraai gesproken, heb ik je al verteld dat hij er goed uitziet?'

'Hoe goed?'

'Ach, je weet wel, gewoon goed. Niet in de olie of down of somber. Gewoon goed.' Skate pakt de schaar van me af en krult het lintje dat ik net heb gekruld opnieuw en bewondert daarna haar werk. Ze is zó bazig. 'Ga hem gewoon vrolijk kerstfeest wensen, Rosie. Je hoeft niet lang te blijven.'

'Ik kan hem niet uitstaan,' zeg ik.

'Je bent niet de enige,' zegt ze. 'Maar luister. Ga hem vrolijk kerstfeest wensen en vertel hem dan eens flink de waarheid.'

Ik lig op de grond en laat Barney boven op me springen. Ik denk aan de laatste keer dat ik mijn vader zag, hoe klein en gekrompen hij leek, alsof zijn vel veel te ruim zat. 'O, nee, dat kan ik niet.' 'Natuurlijk kun je dat wel.' Skate geeft me een schop. 'Het moet er nou maar eens van komen. Het wordt verdomme tijd.' Ik zucht lang en diep. Barney houdt zijn kopje scheef en blaft. 'Kop op, ik heb iets voor je,' zegt Skate. 'Ik was van plan deze in je kerstsok te stoppen, maar ik kan ze je net zo goed nu al geven.' Ze haalt nog een stapeltje waarzegkaartjes uit haar nachtkastje. 'Speciaal voor jou uitgezocht. Een voorraad voor een maand.' Ik kijk ze door. EEN GOED BEGIN IS HET HALVE WERK! YES, YES, YES! IK ZIE PING-PING, LEKKER DING! BIJ TWIJFEL MAAK JE ALTIJD DE JUISTE KEUZE! 'O, ik ben er echt weg van!' roep ik. 'Die uitroeptekens zijn zo leuk!'

Het moet er nou maar eens van komen. Het wordt verdomme tijd. De hele week word ik door die woorden achtervolgd: overdag in de gangen op school en in de bus, en 's avonds laat worden ze onder de dekens in mijn oor gefluisterd. Moet ik bij mijn vader op bezoek? Ik pak op een ochtend een waarzegkaartje van de stapel en daar staat op: VAN ANGST VERSCHROMPEL JE – DUS RUG RECHT EN HOOFD OMHOOG! Ik bel Nick om te horen hoe hij erover denkt, maar zodra ik hem aan de telefoon heb, kan ik mezelf er niet toe brengen om erover te praten. In plaats daarvan vraag ik hem om langs te komen om huiswerk te maken, maar hij zegt dat hij kilo's wasgoed moet wassen als hij morgenochtend schone sokken wil hebben, en bovendien heeft hij misschien wel wat opgelopen, omdat hij een beetje hoofdpijn heeft – en dan zijn we weer terug bij de waarzegster, omdat ik zeker weet dat hij gewoon niet bij me langs wil komen. Ik bedoel, de angst druipt er toch vanaf? En alles voelt ineens erger, veel erger. Maar als het weer zaterdag is, vraag ik toch aan Angie of ze met me mee naar de gevangenis wil gaan voordat ze naar de kapsalon moet.

Ik wil hem niet in zijn oranje overall door de ruimte zien lopen. Daar kan ik niet tegen, dus ga ik naar de wc en blijf zitten in het hokje met de lekkende kraan en de woorden DIT IS MEGASHIT die in de muur zijn gekrast, totdat ik er zeker van ben dat hij al in die lelijke grauwe ruimte zit. Als ik ten slotte mijn hoofd om de hoek steek, zie ik hem daar naast Angie zitten.

'Hallo,' zeg ik, terwijl ik tegenover hem ga zitten. Angie geeft hem een klapje op zijn schouder en vertrekt naar een andere tafel.

'Hai, schat.' Hij steekt zijn hand over de tafel uit en hij knijpt in de mijne. Ik laat hem even zijn gang gaan, maar dan leg ik mijn handen op mijn schoot. Skate had gelijk. Hij ziet er behoorlijk goed uit. Zijn ogen zijn strak op mij gericht. Ze zijn zoals altijd helderblauw. Hij is niet afwezig, zoals hij soms kan zijn. Hij is ook niet meer zo schonkig. 'Ik ben blij dat je bent gekomen.'

'Vieren jullie, eh, je weet wel, hier?' vraag ik. Iemand heeft een Frosty de Sneeuwman met zijn hoge hoed uitgeknipt en in het raam gehangen.

'Nee, er wordt niet veel aan gedaan. Het maakt niet uit, lieverd. Ik ga naar een kerkdienst. En ik werk in de keuken. Ik vind koken leuk.' Hij beweegt zijn hand alsof hij met een koekenpan schudt. 'Dan heb je iets te doen.'

Ik knik. 'Over een paar maanden kom je eruit,' zeg ik.

'Ja, dame,' zegt hij, terwijl hij rechterop gaat zitten – alsof hij op het punt staat om uit de gevangenis weg te rennen.

'Ik kan me niet altijd maar zorgen om je maken.'

'Dat wil ik ook niet, schat. Laat mij me maar zorgen om mezelf maken.'

Ik knik.

'Ach,' zegt hij terwijl hij met zijn hand over zijn mouw strijkt. 'We bekijken het gewoon van dag tot dag.' Hij ziet er erg tevreden met zichzelf uit, en dat maakt me boos. 'Vertel me eens alles over school en zo.'

'Er valt niet veel te vertellen, echt niet.'

'Kom nou toch,' zegt hij.

'Waarom vertel jij me niet wat?' zeg ik.

'Ik ben een boek aan het lezen van de dalai lama. Hij is wel bijzonder, die man.' En hij begint me te vertellen waarom de dalai lama zo bijzonder is, maar ik kan nauwelijks luisteren. Ik trek aan een nijnageltje en bijt het dan met mijn tanden af. Ik stem weer op hem af en hoor hem zeggen: 'Ik heb nagedacht over wat er moet gebeuren als ik naar huis kom. Ik moet een baan zien te krijgen. De reclassering helpt me daarmee. O, ik wil zo graag weer naar huis, Rosie. Ik tel de dagen af. Wanneer ik wakker word…' – hij schrijft een x in de lucht – 'dan zet ik weer een kruis door de dag die voorbij is. Nog even, nog even,' zegt hij.

'Ach ja,' zeg ik.

'Wil je…' Hij houdt zijn hoofd scheef. 'Wil je wel dat ik naar huis kom?'

'Ik weet het niet,' mompel ik.

Zijn ogen ontmoeten de mijne en hij schenkt me een van die vermoeide, eerlijke glimlachen die zeggen: 'Tja, ik heb het inderdaad goed verziekt.' Ik wil hem op dat moment graag vergeven. Maar de seconde daarop schraapt hij zijn keel en zegt: 'Ik denk dat we niet anders kunnen dan het van dag tot dag bekijken.'

'Ik haat dat!' zeg ik zo hard dat een paar hoofden zich naar ons omdraaien. 'Ik haat dat. Uit jouw mond klinkt het allemaal zo makkelijk. "Van dag tot dag"! Nou, je bekijkt het maar.'

'Rosie…'

'En al die dagen dan waarop jij je beloftes hebt gebroken? En die dag dan dat je geld – mijn geld – uit mijn sokkenla hebt gejat? Dat was van mij, papa. En jij hebt het gestolen. Je verprutst het telkens weer…' Ik kan niet eens naar hem kijken. 'Ik ben het zo spuugzat,' fluister ik, en ik maak me weer kwaad.

'Ik…'

'Wat, jíj? Wat, jíj? Luister, pap, nu zie je er goed uit. Je klínkt goed. Ik zie dat je gelooft dat het allemaal goed komt… Maar hoe gaat het als je weer een week thuis bent? Hoe gaat het als je weer een uur thuis bent? Ik zie het al voor me.' Ik doe mijn ogen dicht, zie hem in de serre zitten, terwijl hij een eind weg murmelt, in zichzelf praat, zijn fles Old Crow in zijn handen geklemd. 'Als je weer begint, zal ik sprakeloos zijn. Zoals ik telkens weer was. Maar hoe vaak kun je een mens sprakeloos maken? Op een dag houdt dat op, hoor!' Ik kijk woest om me heen en wend me dan van hem af.

We zeggen een tijdje niets. Uit mijn ooghoek zie ik zijn hand boven de mijne zweven, maar hij landt niet. 'Wat kan ik voor je doen, schat?' zegt hij ten slotte.

'Je kunt niet van me verwachten dat ik je vertrouw. Vraag ook niet van me om je te vertrouwen. Ik wil niet teleurgesteld worden.' De woorden vloeien als vanzelf uit mijn mond en ik voel mezelf gloeien van woede, intens gloeien.

'Je hoeft me niet te vertrouwen. Ik kan het wel aan als je me niet vertrouwt.' En ik snap wel dat hij dat misschien wel kan, maar op de een of andere rare manier maakt dat me razend.

'Als je thuiskomt, zal ik vriendelijk zijn en zo,' zeg ik zachtjes. 'Maar jou vertrouwen zal me niet lukken. En als je… als je… Breng me niet op de gedachte dat het niet gebeurd zou zijn als ik maar meer vertrouwen in je had gehad…'

'Ik zal jou niet de schuld geven,' zegt hij, terwijl hij zijn ogen neerslaat.

Ik word wat rustiger en concentreer me op mijn nijnageltje. Een druppeltje bloed welt op bij de gescheurde huid.

'Ik betaal je terug,' zegt hij.

'Het was driehonderd dollar,' zeg ik om het hem nog eens in te prenten.

'Ik moet eerst werk hebben. En dat betekent dat ik een baan moet zien te krijgen. Maar ik betaal je terug.'

Ik knik.

Ik staar naar het smerige raam met de glimlachende Frosty. 'Papa, denk je dat je helemaal nooit van je leven ooit nog...' Ik zeg het alsof het absoluut onmogelijk is. Alsof de zon nooit meer zal schijnen of de aarde niet meer zal draaien.

'O, schat,' zegt hij. 'Dat is wel waar ik naar streef.'

'Veel succes,' zeg ik, en dat komt er een beetje gemeen uit, zoiets als: ja, ja, dat zal wel, maar dat bedoel ik helemaal niet. Wat ik bedoel is: doe het nou deze keer, alsjeblieft.

Hij slaakt een zucht waardoor hij ineens kleiner lijkt te zijn. 'Ik weet niet waarom ik het doe, Rosie, meisje van me. Ik heb nooit geweten waarom.' Hij schudt zijn hoofd en laat plotseling een lachje horen. 'Ik probeer het deze keer anders te doen. Maar woorden zeggen niets. Het gaat niet om woorden... Aan alle verontschuldigingen ter wereld heb je helemaal geen bal.'

Ik knik. De juiste woorden zijn niet te vinden, en absoluut geen toverwoorden, geen woorden die alles weer kunnen rechtzetten. Dus zitten we bij elkaar zonder veel te zeggen. Buiten vallen er dikke sneeuwvlokken uit de hemel. We kijken ernaar en zien ze smelten tegen de ruit.

'Vrolijk kerstfeest,' zeg ik ten slotte.

'Jij ook, lieverd.'

'Ik ben bekaf.' Ik wrijf met mijn handen over mijn gezicht. 'Ik ben aan een dutje toe. Ik ga, oké?'

Hij knikt. Ik geef hem snel een kus op zijn wang en ren weg uit de ruimte. Angie komt me achterna.

Angie vraagt of ik zin heb in een wandeling over het strand voordat ze naar de kapsalon gaat – ze is tegenwoordig dol op wandelen – maar ik ben moe, voel me gewoon afgepeigerd. 'Kom op,' zegt ze terwijl ze een arm om me heen slaat. 'Je zult ervan opkikkeren.' Ze doet Barney aan de lijn, maar hij beschouwt dat als een belediging. Hij blijft rondjes draaien, kijkt een hele tijd naar de lijn en valt hem dan aan. Angie probeert hem te overtuigen. 'Ik wil niet dat je wegloopt, lief vriendje.' En weg zijn ze, maar ik kan ze nauwelijks bijhouden. Het is een heldere, koude dag, de zon staat op zijn hoogste stand vandaag aan de hemel. De ergste voorbereidingsdrukte is voorbij. Morgen is het kerstavond. Cadeaus zijn ingepakt en de kerstsokken zijn opgehangen, zelfs twee kleintjes voor Barney en Lorry, die speeltjes krijgen om op te kauwen. En daarna komt oudejaarsavond. Het eind van het oude, het begin van het nieuwe. Maar wat staat ons nog allemaal te wachten?

Ik knijp mijn ogen halfdicht tegen de zon, scherm ze af en zie Angie en Barney steeds verder weg voor me uit lopen. Ik kijk met knipperende ogen naar de golven, nauwelijks in staat om wakker te blijven. Ik voel me als verdoofd, zo onwijs moe. Ik zou vanmiddag fudge maken – mijn kerstcadeau voor Nick. Maar dat komt nog wel. Dat moet maar tot later wachten. Ik sleep mezelf door de duinen terug naar huis en naar boven naar mijn kamer, waar ik mijn gympen uittrap en me op bed laat vallen. En heel lang slaap.

'Rosie,' hoor ik. 'Rosie.' Nick steekt zijn hoofd om de hoek van mijn slaapkamerdeur, waardoor een streep licht naar binnen valt. 'Gaat het wel met je?' Een natte neus stoot zachtjes tegen mijn hand en ik aai Barneys kop. Het is donker buiten en de halve maan is zichtbaar door het raam.

'Nick!' zeg ik. Ik ga zitten en voel me heerlijk uitgerust.

Hij komt binnen en knipt het licht aan. Ik knijp mijn ogen tot spleetjes. 'Gaat het wel goed met je? Ik was al eerder aan de deur en toen zei Skate dat je sliep als een blok. En nu lig je nog steeds in bed…'

'Laten we naar buiten gaan,' zeg ik en ik spring uit bed. 'Wacht hier.' Ik ga naar de badkamer, poets mijn tanden, kam mijn haar en doe een beetje Maybelline Great Lash op mijn wimpers. Ik storm mijn kamer weer in, plof op de grond neer en wurm mijn voeten in mijn gympen.

'Wat is er met jou aan de hand?' vraagt Nick.

'Kom mee.' Ik vlieg de trap af met Barney vlak achter me aan.

'Het is ijskoud buiten!' roept Nick.

Ik gris mijn jas en sjaal van de kapstok en ren het strand op, waar de striemende wind buldert. Ik ren over het zand en Barney rent achter me aan. De hemel is superdonker en ik gooi mijn hoofd in mijn nek en snuif de lucht op. Nick staat met zijn handen in zijn zakken op het strand en springt van zijn ene voet op de andere. 'Rosie, mijn kont vriest eraf.'

'Ren dan,' zeg ik tegen hem terwijl ik langs hem zoef. Hij sluit zich bij ons aan en samen draven we in een grote lus over het strand, en die goeie Barney blaft en springt en valt op onze benen aan.

Nick pakt me uiteindelijk vast. 'Ho, ho, meisje,' zegt hij. 'Waarom ben je zo opgewonden?'

'Ik weet het niet!' zeg ik. Ik zet mijn capuchon op, spring een paar keer op en neer en ren dan als een idioot naar de waterkant. Daar zakken mijn voeten een beetje in het natte zand weg, waardoor ik word afgeremd. Daarna ga ik er zo snel mogelijk vandoor naar de duinen en zak in elkaar op het zand. Barney, helemaal door het dolle nu, springt boven op me, oren rechtop, staart kwispelend. Nick jogt op ons af en laat zich naast ons neervallen.

'Ik heb hem de volle laag gegeven!' schreeuw ik boven de wind uit.

'Barney?'

Ik lach. 'Ik ben vanmorgen naar de gevangenis geweest.'

Nick glimlacht traag. 'Je hebt hem de volle laag gegeven? Vertel eens.'

Ik laat me naar achteren op mijn ellebogen zakken en denk erover na. 'Ik weet niet of ik het kan uitleggen.'

'Doe eens een poging,' fluistert Nick, die tegen me aan kruipt om beschutting tegen de wind te zoeken.

'Ik werd kwaad,' zeg ik. 'Echt heel erg kwaad.' Ik maak mijn ogen groot en Nick doet me na.

'Jij, die nooit boos op hem wordt…'

'Ja, ik,' beaam ik.

'Wat goed, joh.'

De winterhemel boven ons is donker en vol ijle, webachtige wolken. En hier beneden liggen we samen op het duin te rillen. Onze tanden klapperen, terwijl Barney blij op Nicks mouw kauwt.

'Weet je dat mijn pa tegenwoordig nog steeds weinig drinkt,' zegt Nick. 'Goed, hè? Maar hij is absoluut niet te genieten.'

'Blijf dan bij hem uit de buurt.'

'Makkelijker gezegd dan gedaan.' Hij rolt met zijn ogen. 'Weet je waar ik tegenwoordig zin in heb? Ik heb zin om naar die verdomde drankwinkel te gaan om een fles wodka voor hem te kopen. "Hier," zou ik dan zeggen. "Proost."'

'Ha, ha!' lach ik.

'En hoe reageerde je vader?' vraagt Nick. 'Toen je hem de volle laag gaf.'

'Hij luisterde. Hij luisterde naar me.'

'Ik neem mijn petje voor je af, Rosie,' zegt Nick en hij geeft me een klap op mijn rug. 'Ik ben trots op je.'

'Nou eh, dank je, Nicholas.' Ik voel dat er een grijns op mijn gezicht verschijnt. 'Kom mee,' zeg ik, terwijl ik opspring. Ik kijk naar ons huis, waar de brandende kerstboom zachtjes glinstert en knippert achter het raam. 'Laten we de warmte opzoeken.'

Skate

Het is oudejaarsdag en de dag voor mijn verjaardag. Ik ben een nieuwjaarskindje, de eerste die zeventien jaar geleden om zes uur 's morgens bij het begin van het nieuwe jaar in Ocean County werd geboren.

Ik rij naar Julia's huis, omdat ze een chocoladetaart voor me heeft gemaakt. Morgen heeft ze met Hal afgesproken, en vanavond heeft iedereen ook al afspraken, en vanmiddag moet ik werken. Dus wordt het een taartontbijt.

Op de lagune ligt een laagje ijs en ik ril terwijl ik naar binnen ren. Julia legt de laatste hand aan het glazuur. Ze omhelst me. 'Van harte gefeliciteerd, Skate.'

Ik druk haar tegen me aan en ga daarna op een stoel zitten. 'Geen Perry?'

'Hij komt en hij gaat weer. Het blijkt dat een paar vrienden van hem aan de overkant van de baai wonen.' Ze likt haar vinger af en bekijkt de taart aandachtig. Ze heeft zelfs van een wafel en stukjes chocolade een skateboard gemaakt.

Julia schenkt een glas melk voor me in en voor zichzelf een kop koffie. 'Ta-dá,' zegt ze, terwijl ze de taart met brandende kaarsjes voor me zet.

'Je gaat toch niet zingen, hè?' grap ik.

'Dat wil ik je niet aandoen.'

Ik blaas de kaarsjes uit en wens dat ik weer gelukkig mag zijn.

'Je ziet er beter uit, Skate,' zegt Julia terwijl we op de taart aanvallen.

'Je sprankelt weer.'

'O ja? Hoe ziet dat er dan uit?'

'Sprankelend.' Ze glimlacht, laat haar tanden zien.

'Iets duidelijker mag ook wel, hoor.'

'Je ziet er gewoon hartstikke goed uit, meisje.'

Ik glimlach in de richting van mijn stuk taart en neem een grote hap. 'Jammie,' zeg ik met mijn mond vol – zo romig en chocoladerig.

Perry's rugzak staat bij de voordeur: halfopen en propvol boeken, kleren en schriften met ezelsoren. 'Ik had echt verwacht dat hij hier zou zijn,' zeg ik, terwijl ik mijn vork neerleg. Julia haalt haar schouders op. Het is mijn verjaardag en alles tussen mij en Perry staat uiteraard nog steeds in de wacht. Maar dan nog. Ik dacht gewoon dat hij er zou zijn. Ik pak met beide handen mijn kettinkje en doe het af. Ik kijk naar het hartje en laat het in mijn broekzak glijden.

'Is het zover?'

'Ik denk het wel,' zeg ik, terwijl ik naar de opengeritste rugzak kijk, daar inderhaast neergesmeten toen Perry de deur uit rende om nieuwe avonturen tegemoet te gaan.

Ik rij op mijn board terug naar huis, met een halve chocoladetaart in mijn handen. Ik loop de trap op en bel Perry's mobieltje, maar dat schakelt over op de voicemail. 'Hi, Perry. Met mij. Skate,' zeg ik. 'Luister, het antwoord is "nee". Het kan niet anders. Het wordt niks met ons.' Mijn stem stokt wanneer ik mijn kale hals in de spiegel zie. 'Ik hou nog steeds een beetje van je. Maar ik kan het niet.'

Ik kruip onder de dekens. Morgen word ik zeventien. Ik heb het gevoel alsof ik al drie levens heb geleefd. Dat is wat er wordt bedoeld met oud worden. Dat je zoveel voelt dat je er nauwelijks nog een touw aan kunt vastknopen. Het lijkt zo lang geleden dat Perry tegen me zei dat hij stapelgek op me was.

Even later gaat de telefoon en is hij het. 'Ik wist het wel, Skate,' zegt hij.

'O ja?' Ergens had ik gehoopt dat hij het me uit mijn hoofd zou proberen te praten.

'Ik heb trouwens mijn rooster veranderd. Voor de lente neem ik minder hooi op mijn vork, omdat ik voor differentiaal- en integraal-rekenen een zes-minnetje heb gehaald. Dus doe ik nog maar drie vak-ken en van de zomer twee. Maar ik heb ook een nieuw baantje: het schilderen van studentenhuizen, dus zal ik het grootste deel van de zomer op de campus zitten, behalve in de weekenden.'

'Maar, Perry, als ik nou "ja" had gezegd? Als ik nou had besloten met je door te gaan? Wat had je dan gedaan?'

'Dan waren we er samen wel uitgekomen.' Ik hoor stemmen op de achtergrond. Hij zucht. 'Maar het gaat erom dat je "nee" hebt gezegd. Misschien wist ik eigenlijk wel dat je dat zou zeggen.'

'Ga je nog steeds met haar?'

'Ja,' zegt hij eenvoudigweg. Verder niets. En daarna: 'Gefeliciteerd met je verjaardag, Skate. Ik hou ook nog steeds een beetje van jou.'

Barney moet nodig worden uitgelaten, dus neem ik hem mee. De koude wind voelt prettig in mijn te warme gezicht. Daarna maak ik me klaar om naar mijn werk te gaan. Rosie komt binnen terwijl ik mijn haar sta te borstelen en een staart maak. Ze ziet mijn kettinkje op mijn ladekast liggen. 'O,' zegt ze met een bedroefde stem.

'Het gaat goed met me, hoor,' zeg ik.

'O,' zegt ze weer en de tranen springen in haar ogen.

'Echt waar,' zeg ik. 'Echt waar.' Ik dacht dat het veel ingrijpender zou zijn, maar dat is niet zo. Ik doe mijn juwelendoosje open, laat het kettinkje erin vallen en doe het dekseltje weer dicht.

Barney is groot geworden en ik leer hem om naast mijn board mee te rennen. Ik denk dat we binnenkort de hele trip naar de Heights op die manier kunnen afleggen. Op dit moment rij ik en rent hij, en daarna doen we het een heel eind wat rustiger aan. Dat kost tijd. Maar ik heb een heleboel om over na te denken, dus dat is oké.

Ik zet Barney bij Frank thuis af en voordat ik naar de speelhal ga, speel ik nog een paar minuten met Lorry. Frank heeft boodschappen gedaan en het aanrecht staat vol blikken tomaat, meel en kruiden. Vanavond gaat hij voor hem en mij koken en dan gaan we daarna naar de promenade voor het vuurwerk.

Het is vanmiddag stampvol in de speelhal. We zijn de hele dag druk in de weer met kinderen die vrij van school zijn en volwassenen die vrij van hun werk hebben genomen. Als er even wat minder mensen zijn, kijk ik naar mezelf in de spiegelende wand van de liefdesmeter en raak een seconde mijn kale hals aan. Maar dan ga ik weer aan het werk. Ik neem puntenkaartjes in en deel jojo's en stemmingsringetjes en vampiertanden uit. Iemand heeft zelfs genoeg punten voor het elektrische oventje. Het kost Frank en mij meer dan een halfuur om ze te tellen.

'Kassa, kassa!' zegt Frank wanneer de werkdag bijna ten einde loopt. 'Hé, luister eens. Heb ik al tegen je gezegd dat je vanavond een jurk moet aantrekken?'

'Wát?'

'Ik maak kreeft, heb ik je dat al verteld? Dus doe een jurk aan, LD.'

Ik lach. 'Het spijt me, Frank, maar ik heb helemaal geen jurken. Ik heb een paar flodderdingen voor de zomer, weet je wel? Maar dat is alles.'

'Dan probeer je er maar ergens eentje te scoren.'

'Alsjeblieft, zeg!' roep ik. 'Hé, eten we echt kreeft?'

'Ja.' Hij glimlacht. 'Het is een oudejaarsavond-de-avond-voor-Skates-verjaardag-kreeftenfeest.'

'Cool,' zeg ik en het water loopt me al in de mond.

'Ga dan nu maar,' zegt hij, terwijl hij de lade uit de kassa haalt om het geld te tellen. 'Ga bedelen, lenen of stelen. En nu opgehoepeld.'

'Ik ga zo. En wat trek jij aan?'

'Mijn smoking natuurlijk,' zegt hij terwijl hij me aankijkt. Ik zie aan hem dat hij dat echt van plan is en ik moet lachen. Frank moet zo vaak naar eindexamenbals dat hij een paar jaar geleden heeft besloten om voor zichzelf een smoking te kopen, zodat hij die niet meer hoeft te huren.

Perry en ik zijn indertijd niet naar het eindexamenbal van Perry geweest. In plaats daarvan surften we tot zonsondergang, maakten hamburgers en hotdogs klaar op het terras van zijn huis, namen dekens mee naar de duinen en brachten de nacht samen naakt onder de sterren door. Dus wat heb ik? Een surfpak, ja. Een badpak, ja. Mijn evakostuum, ja. Maar geen avondjapon.

Rosie heeft de oplossing. Ze spit in haar klerenkast, waarin ze een voorraad feestjurken heeft. Ze heeft kleren van onze moeder en kleren uit tweedehandswinkels, en ze haalt een lange, zwarte, fluwelen straplessjurk tevoorschijn. Het fluweel is op sommige plaatsen een beetje geplet, maar het is tenminste iets. 'Probeer eens,' zegt ze.

Ik kleed me uit en trek de jurk aan. Aan de bovenkant is hij een beetje te ruim. Mijn tieten zijn niet zo groot als die van mijn moeder, denk ik. Dus neemt Rosie de jurk aan de achterkant met veiligheidsspelden in en ik laat mijn haar daar los overheen hangen. De jurk snoert mijn taille in en zit een beetje strak om mijn benen. En hij heeft aan beide zijden een split.

'Wow, te gek,' zegt Rosie die in haar handen klapt. Angie steekt haar hoofd om de hoek van de deur en fluit.

'Maar ik heb helemaal geen schoenen.'

Het blijkt dat Rosies schoenmaat te groot voor me is en die van Angie te klein. Maakt niet uit. Ik besluit mijn teenslippers aan te trekken. En ik drapeer een witte boa om mijn hals, een van mijn eigen ontdekkingen die ik in een tweedehandswinkel heb gedaan. Rosie giechelt.

'Hij neemt je vast mee uit.'

'Nee, hoor. We eten bij hem thuis en daarna gaan we naar de promenade.'

'Jammer,' zegt Rosie, die glundert van blijdschap. Ze vertelt me wat zij vanavond gaat doen: een speciale oudejaars-Watjeskletsbijeenkomst, daarna een feest bij Gus thuis en dan naar de promenade voor het vuurwerk. Angie is ook blij. Een paar vrienden en vriendinnen uit Florida zijn bij haar op bezoek. Ze hebben de hele middag staan koken. Zij gaan eerst thuis eten en rondhangen en daarna ook naar de promenade.

Ik lak mijn teennagels in een lavendelkleur en doe wat lipgloss op, en daarna moet ik me warm inpakken. Ik trek een maillot aan en mijn jas, sjaal, pet en laarzen. Ik doe mijn rugzak om en moet de jurk tot mijn knieën optrekken om op mijn board te kunnen rijden. Maar niet veel later ben ik klaar om te gaan.

Bij Frank op de stoep fatsoeneer ik mezelf weer, trek de maillot en de laarzen uit en mijn teenslippers aan. Ik wil een spetterende entree maken. 'Moet je zien wat ik heb gescoord,' zal ik zeggen, terwijl ik het uiteinde van mijn boa laat ronddraaien.

De puppy's blaffen en springen tegen me op. Frank staat in zijn joggingpak en op slippers achter het fornuis en is in gevecht met de levende kreeften.

'Ta-da,' zeg ik, terwijl ik de keuken in flipflop.

Frank staart me een seconde aan. De kreeft in zijn hand zwaait als een idioot met zijn voelsprieten.

'En?' zeg ik.

'Zo, zo…' zegt hij langzaam. 'LD,' zegt hij.

Ik draai in het rond en mijn slippers piepen op het linoleum. 'En waar is jouw smoking?' vraag ik.

'Ik sta te koken, beste vriendin. Alles op zijn tijd.' Hij staart naar me en glimlacht, een kleine glimlach die ik niet helemaal kan plaatsen, maar waardoor ik wel inwendig moet lachen.

Frank heeft zichzelf overtroffen. Kreeft met botersaus, zelfgemaakte miniravioli met spinazie en kaas, en een caesarsalade. Dus vallen we aan. Frank kraakt een kreeftenschaar open en het sap spuit tegen mijn arm aan. 'Hé!' gil ik. Hij gooit een plastic slabber naar me toe waarop tangodansende kreeften staan. Hij doet er zelf ook een om, over zijn smoking.

'Oké, misschien was dit toch niet zo'n fantastisch idee,' zegt hij en hij doet zijn vlinderdasje af. Hij kraakt weer een schaar en spuit nu in mijn gezicht.

'Volgens mij doe je dat expres, dude.'

'Ik doe dit absoluut totaal volstrekt niet expres.' Hij probeert voorzichtig te kraken, maar het lukt hem nog me onder te spetteren. Ik spetter terug.

Dus we kraken de scharen – spuiten elkaar nat en lachen – dopen het vlees in de boter en zuigen het naar binnen. Zo ontzettend lekker.

Als we al een heel eind met ons diner zijn opgeschoten, doe ik mijn slabber af. Frank zegt: 'Hé…' wanneer hij mijn ontbrekende kettinkje opmerkt. Ik raak mijn blote hals aan.

'Ja,' zeg ik.

Frank kijkt naar me, wacht tot ik nog meer zal zeggen, denk ik. Maar er valt echt niets meer over te zeggen. Dus stort hij zich weer op zijn kreeftenstaart, en lepelt het vlees eruit. Hij glimlacht in zichzelf en doopt het vlees in de boter. Hij houdt het boven mijn hoofd alsof ik een zeehond ben. Ik leg mijn hoofd in mijn nek, open mijn mond en hij laat het stuk kreeft vallen.

Als we klaar zijn, ligt er een berg schalen op tafel. Ik ga als een kwak kwal op de bank liggen en Frank hijst zichzelf op de relaxstoel. 'Goddelijk,' zegt hij met een zucht.

'Ik eet nooit meer wat,' lieg ik.

'De komende twee uur in elk geval niet. Als toetje heb ik ijs. Met spikkels.'

We blijven zo nog een tijdje liggen en zitten en doen dan vast een afwasje zodat we morgenochtend niet met een totale puinhoop worden geconfronteerd.

Voor middernacht laat Frank de puppy's nog even uit terwijl ik me weer warm aankleed, en daarna gaan hij en ik lopend naar de promenade. Het sneeuwt. Grote, dikke vlokken dwarrelen naar beneden op het moment dat we een plekje op de pier vinden. Mikey deelt dekens uit en Frank neemt er een aan. Rosie en Nick, ineengedoken in hun jacks met capuchon, komen naar ons toe. Angie en haar vrienden, die glitterende papieren tiara's op hun hoofd hebben en op toeters blazen, weten ons ook te vinden.

'O, kijk,' zegt Rosie.

De lichtjes van het reuzenrad gaan aan en het begint te draaien.

'Kom mee!' zeg ik.

'Neu,' zegt Frank wanneer ik aan zijn arm trek. Nick schudt zijn hoofd.

'Dan ga ik overgeven,' zegt Angie. Dus rennen Rosie en ik weg om in de rij te gaan staan. Vanavond is het gratis. We klauteren in een gondeltje, gaan tegenover elkaar zitten, en heel, heel zachtjes worden we opgetild in de nacht. Bij het volgende rondje blijven we helemaal bovenin stilstaan terwijl de sneeuw om ons heen en in de gondel wordt geblazen. Rosie vangt een paar vlokken met haar handschoen.

'Wat gaat er met ons gebeuren, Skate?' fluistert ze. 'Vertel me wat ons het komende jaar te wachten staat.' Ze heeft haar met bont gevoerde capuchon opgezet en ziet er met haar grote ogen enthousiast uit.

'Jij bent het meisje met de waarzegkaartjes. Jij mag het mij vertellen.'

'Nou je het zegt…' Ze trekt haar voorraadje uit haar zak. 'Kies een kaartje uit, maakt niet uit welke.' Ze spreidt ze in een waaiervorm uit.

'Je weet in elk geval dat het goed zal gaan, omdat ze allemaal positief zijn.' We lachen.

'Oké, goed dan,' zeg ik en ik trek een kaartje.

GA ZO DOOR, MIJN HARTENDIEF!

'Nou,' zegt Rosie, die een beetje teleurgesteld kijkt. 'Dat was niet echt wat ik voor het nieuwe jaar in gedachten had.'

'Het is niet echt uitdagend,' zeg ik.

'Een beetje uitdagend zou leuker zijn. Probeer het nog eens,' zegt ze en ze steekt me het waaiertje weer toe.

'Nee, ik zal je vertellen hoe het wordt. Wij…'

'Wacht!' roept Rosie. Ze klimt naar mijn kant van het gondeltje, waardoor we heen en weer schommelen, en pakt mijn hand. 'Vertel het me nu.'

Een beetje uitdagend, een beetje jeu… Maar ik kan niets bedenken wat niét afgezaagd klinkt, en waarvan ik wil dat het werkelijkheid wordt. En zoiets voorspelbaars als HET ZAL ONS GOED GAAN, ook al is het waar – absoluut waar – dan nog heeft het totaal niks uitdagends en het volstaat ook niet als je op de laatste avond van het jaar in een reuzenrad in de sneeuw zit.

'En?' zegt Rosie.

'Stil nou en kijk,' zeg ik, terwijl ik in haar hand knijp. Het rad draait weer en we kijken naar de kust: naar het zwaailicht van de vuurtoren in de verte en het uitgestrekte strand dat afloopt naar het water dat in het donker zachtjes glinstert, de verlichte pier beneden ons, waar Angie omhoogkijkt en naar ons zwaait, en een van haar vrienden probeert Frank een papieren hoedje op te zetten, en Nick lacht samen met Gus. We draaien ons allebei om en kijken uit over de baai, waar een boot gestaag naar de jachthaven vaart. Op de achtergrond schijnen en twinkelen minstens een miljoen lichtjes op het vasteland.

Rosie glimlacht en ik doe het ook, en wanneer het rad ons weer naar beneden heeft gebracht, stappen we zonder een woord te zeggen uit.

We voegen ons weer bij de anderen op het moment dat Mikey de champagne laat knallen en plastic bekertjes uitdeelt. We tellen af en proosten met elkaar. Het is het einde van het jaar en het begin van een nieuw jaar. Hoe zou je dat nou niet fijn kunnen vinden? En ik ben jarig. Ik ben zeventien en dat voelt veel ouder dan zestien, ook al scheelt het maar een jaar. Aan de hemel boven de oceaan barst een vuurwerk los van verschillende kleuren pijlen – blauw, groen, rood en roze – terwijl de sneeuw blijft vallen. Ik sta naast Frank te rillen en hij slaat een deken om me heen. De finale bestaat uit explosies in gouden kleuren, het ene knalletje na het andere, en sommige sputteren voordat je ze kunt zien.

'Knudde met een rietje,' galmt Frank in mijn oor.

'Ach, hou toch op,' zeg ik vrolijk. Onder ons rolt het donkere water op de kust terwijl hierboven op de pier de menigte bij elkaar kruipt en kijkt naar het uiteenspatten van vuurpijlen die met knallen en luid gesputter de nachtelijke hemel oplichten.

De puppy's slapen op een hoopje bij de keukendeur. Frank kleedt zich om in een T-shirt en joggingbroek en maakt kommen met ijs voor ons klaar, inclusief een dot slagroom en chocoladehagelslag. We kijken naar een oudejaarsconference op de tv en eten ons ijs. En nu is de oudejaarsavond alweer voorbij. Zo snel gaat dat.

Ik hoor dat Frank zijn tanden staat te poetsen terwijl ik met de lakens en de zachte blauwe deken mijn bed op de bank opmaak. Ik trek mijn dikke maillot en laarzen uit, maar ik ben nog niet zover om de jurk uit te trekken. Dus kruip ik eerst nog even met jurk en al onder de deken en voel aan mijn kale hals. Ik vraag me af waar Perry vanavond is en wat hij doet. Ik vraag me af of mijn moeder deze jurk ooit heeft gedragen. Dat moet ik een keer aan papa vragen. Misschien weet hij dat. Als hij het zich kan herinneren.

Frank komt op zijn sokken naar me toe en buigt zich over de bank. 'Van harte gefeliciteerd, Skate.'

Ik steek mijn hand uit en raak zijn arm aan. 'Dank je wel.'

'Voor wat?'

Ik sta op het punt om een lijstje af te ratelen dat behoorlijk lang is geworden. Maar ik staar alleen maar naar zijn slaperige gezicht. 'Gewoon voor alles.'

'Oké,' zegt hij. Hij kuiert terug naar zijn slaapkamer en ik hoor zijn matras piepen terwijl hij zich op bed laat vallen.

'Angie en Rosie maken morgen een brunch, als je zin hebt om mee te gaan.'

'O, oké.' Hij gaapt.

'Omeletten, denk ik. Allerlei omeletten, en vers geperst sinaasappelsap, en ze hebben ook taarten gebakken. Koffietaart. Kwarktaart...'

Frank knipt zijn lamp uit en ineens is het helemaal donker in zijn kamer.

'Luister je wel?'

'Nee.' Ik hoor hem weer gapen.

'Waarom heb je me niks over Perry gevraagd?'

'Omdat ik denk dat ik het wel weet.'

'Wat weet je?'

'Waarom begin je toch altijd te kwekken als ik op het punt sta als een blok in slaap te vallen?'

'Het is mijn verjaardag,' zeg ik, en ik ga rechtop zitten omdat ik me helemaal niet moe voel. Maar ik hoor hem weer gapen. 'Frank? Slaap je al?'

'Ja.'

Ik sta op en haal mijn slippers uit de gangkast. Ik poets mijn tanden, steek mijn haar op in een rommelige staart en was mijn gezicht. Nog steeds in mijn avondjurk ga ik in de deuropening van zijn kamer staan en luister, maar ik kan niet zeggen of hij slaapt of niet. Dus sluip ik naar zijn bed en ga op de rand zitten. 'Hé, Frank,' zeg ik zachtjes.

'Hé,' zegt hij en hij rolt zich om. Ik kan in het donker zien dat hij glimlacht.

'Hai.'

'En, hoe is het nu, LD?' vraagt hij, terwijl hij zijn hand knus onder zijn hoofd schuift.

'Mag ik naast je komen liggen? Gewoon even liggen?'

Hij houdt de deken open en ik glip naast hem met mijn rug naar hem toe. Hij kruipt dicht tegen me aan en is verrukkelijk warm.

'Wat weet je?' vraag ik. 'Over Perry?'

'Dat het *finito* is. Je hebt het kettinkje afgedaan.'

'Ja,' zeg ik rustig. 'Waarom val je me dan niet lastig over jou en mij? Of is dat idee alweer van de baan? Staat er een andere LD achter de schermen te wachten?'

'Hè? Pardon?' fluistert hij in mijn nek. 'Met wie heb ik dan op de laatste avond van het jaar gedineerd? Met wie heb ik samen twee puppy's? Voor wie heb ik kreeft met botersaus gemaakt? Met wie heb ik me laten meeslepen naar de promenade om naar een knud-de-met-een-rietje-vuurwerk te kijken? Nou? Hè?' Hij gaapt lang en lui. Het klinkt een beetje verveeld.

Ik begin hard te lachen. 'Wat ben je toch romantisch, Frank.'

'Vergis je niet, LD. Wacht jij maar af.'

'Waarop?'

'Op wat er volgt.'

'En dat is?'

'Jij en ik, natuurlijk.' En hij kust me op mijn oor.

En ik sta op het punt om te zeggen: Ik ben wel beter van je gewend, dude. Maar voorlopig is het wel genoeg. Ik pak Franks hand en hij strengelt zijn vingers tussen die van mij. En zo vallen we zomaar in slaap.